UQAR
BIBLIOTHÈQUE
ÉLAGUÉ

LIUM
BIBLIOTHÈQUE
ÉCLINE

Une bottine en voyage

Conception graphique de la couverture: Martin Dufour
Illustrations couverture et intérieur: Marie-Josée Côté

Copyright © 1983 by Les Éditions Héritage Inc.
Tous droits réservés

Dépôts légaux: 2e trimestre 1983
Bibliothèque nationale du Québec
Bibliothèque nationale du Canada

ISBN: 0-7773-4430-0   Imprimé au Canada

LES ÉDITIONS HÉRITAGE INC.
300, Arran, Saint-Lambert, Québec J4R 1K5
(514) 672-6710

PZ
21
P68 Y35
B67

Une bottine en voyage

GILLES GAGNON

Illustrations: Marie-Josée Côté

ÉDITIONS HÉRITAGE
MONTRÉAL

CHAPITRE 1

UNE DRÔLE DE RANDONNÉE

Cela se passait par un beau soir de pleine lune.

Dans un joli petit parc au beau milieu d'une ville, une pauvre bottine très malheureuse pleurait à chaudes larmes. Elle avait marché tout le long du jour aux alentours de ce parc. Elle était très fatiguée mais elle ne pouvait pas dormir. Elle avait un peu peur de la nuit.

Comme elle était seule, elle était obligée de marcher à cloche-pied. Lorsqu'on ne porte qu'une seule bottine, on boite, évidemment. Alors quand on est rien qu'une pauvre bottine solitaire, on boite encore plus!

La grosse pleine lune brillait avec éclat dans le ciel tout picoté d'étoiles. La pauvre bottine sanglotait dans la nuit car elle aurait bien voulu pouvoir faire la paire. Elle aurait bien souhaité avoir une compagne pour pouvoir enfin marcher sans clopiner.

Lorsqu'elle n'était encore qu'un tout petit soulier, elle se souvenait parfaitement bien d'avoir eu une jumelle. Une soeurette qui lui ressemblait comme ... comme ... comme deux bottines peuvent se ressembler. Mais un jour, chez un cordonnier du voisinage, on les égara. Jamais plus elle n'avait revu sa jumelle. Elle n'était maintenant qu'une pauvre petite bottine toute seule qui ne servait plus à rien.

Depuis qu'on l'avait jetée à la rue, elle rôdait dans la ville à la recherche d'une nouvelle compagne.

Mais qui donc peut être attiré par le chagrin d'une bottine? À chaque fois c'était toujours la même chose: un bon coup de pied et la voilà qui virevoltait dans les airs pour retomber dans un nouveau quartier qu'elle ne connaissait pas. Comme ce parc par exemple ...

Un grand silence régnait ce soir-là. Seul un doux vent faisait danser les arbres. La pauvre bottine demeurait immobile au beau milieu de l'allée du parc, lorsqu'une espèce de vagabond à l'allure douteuse vint à passer.

Que fait un vagabond en apercevant une bottine immobile au beau milieu de l'allée d'un parc? Il fait comme tout le monde, il donne un bon

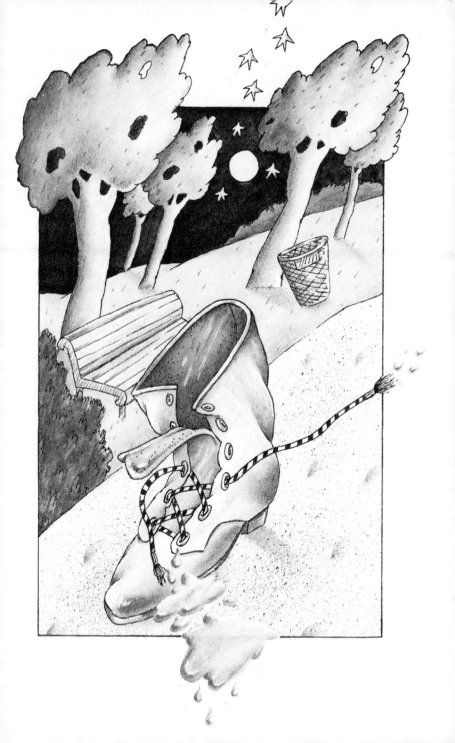

coup de pied à la bottine, et la voilà repartie pour un vol plané.

Mais qu'est-ce qui se passe ce soir? Elle ne retombe donc pas quelque part? Non! la voilà qui se met à glisser sur un rayon de pleine lune. Elle monte et elle monte! Elle grimpe sur le rayon de pleine lune. Ouf! comme c'est haut! La pauvre petite bottine est prise de vertige.

Et elle continue de monter et de monter, très vite. Elle voit la Terre s'éloigner derrière elle. Puis la lune qui grossit devant.

Elle file comme un avion affolé dans le ciel. La lumière du rayon de lune lui semble comme de la glace. On dirait qu'un gigantesque aspirateur l'attire, tout au bout. Et elle grimpe!

À la vitesse où elle va, la pauvre bottine a bien peur d'aller s'écraser sur la lune. Alors, juste avant d'atteindre l'astre de la nuit, elle pique du talon et tente de freiner sa course. Et hop! la voilà qui dégringole. Elle plonge vers la Terre à une vitesse incroyable.

Oh! la la! Elle réussit tant bien que mal à ralentir. La surface de la Terre est toute proche maintenant. Ouf! elle ferme ses six paires d'yeux de bottine, elle tend ses lacets, elle rentre sa langue et . . . ça y est, elle a atterri!

Mais!?! Où donc est-elle allée se perdre encore? Il flotte comme une odeur de vieux fromage. La pauvre petite bottine a l'impression d'être prisonnière d'un grand lac tout jaune, comme si elle se trouvait sous le rayon d'une très puissante lumière. Quel silence! Quelle grandeur! La pauvre bottine secoue la poussière sur son cuir et entreprend de boitiller vers elle ne sait trop où.

"Oh! la la! songe-t-elle, je vais m'ennuyer toute seule ici. Je suis certaine de ne pas trouver une compagne dans ces parages. Autant chercher une goutte d'eau dans le désert du Sahara!"

En effet, cela ressemblait vraiment à un désert. Mais le sable était remplacé par des grains de lumière. La petite bottine ouvrait très grands ses douze yeux ahuris: "Il n'y a pas d'endroit comme ça sur la Terre", se disait-elle en tapant de la semelle.

Alors une voix se fit entendre. Une voix très basse et toute douce à la fois: "Qui va là?"

La pauvre bottine se mit à trembler de peur.

— Qui va là? Répondez! reprit la voix.

— C'est ... c'est moi! murmura la pauvre bottine, toute craintive.

— Parlez plus fort, je ne vous entends pas, ordonna la voix.

— C'est moi! réussit-elle à prononcer maladroitement.

— Qui ça, moi? s'étonna la grosse voix. Qui me demande?

— Je ne suis rien qu'une pauvre petite bottine, pleurnicha-t-elle.

— Mais je ne vois rien! Où es-tu donc? dit la voix avec impatience.

Alors la pauvre bottine aperçut tout en haut du rayon de lumière, un vieil homme aux cheveux très longs et très roses, et à la barbe toute bouclée qui traînait sur la lumière. Il était vêtu d'une robe étoilée qui lui recouvrait le corps en entier. Dans sa main, il tenait un bâton recourbé par le haut qui lançait des tas et des tas d'étincelles multicolores, comme un feu de Bengale à la fête foraine.

— Qui me demande? répéta la grosse voix. Personne? Est-ce encore vous autres, mes petits ratoureux de lutins lunaires, qui recommencez à me jouer des tours, hein?

La pauvre bottine tapa du pied pour attirer l'attention du vieil homme.

Abaissant les yeux, le vieillard finit par apercevoir l'étrange bottine qui dansait au pied de son rayon de lune.

— Tiens, tiens, tiens! ricana-t-il, une bottine!

Alors, juste comme il s'apprêtait lui aussi à lui envoyer un bon coup de pied, la pauvre bottine éclata en sanglots.

Bien sûr, elle ne croyait pas que le vieillard puisse entendre ses pleurs. Jamais personne sur la Terre ne l'avait entendue sangloter. Mais ce vieillard, lui, semblait percevoir le chagrin de la petite bottine.

— Tiens, tiens! répéta-t-il, une bottine qui pleure? Je n'ai jamais rencontré de bottine qui pleurait! Pourquoi cette grosse peine, petite? Tu aimerais rester chez moi pour te chauffer et te reposer?

La bottine essaya de se hisser sur le rayon de lune.

— Mais dis donc, s'étonna le vieillard, tu boites?

À travers ses sanglots, la pauvre petite bottine commença alors à raconter tous ses déboires à ce personnage qui semblait s'intéresser à elle.

Le vieil homme pleurait, lui aussi, en écoutant le récit de la pauvre bottine.

— Comme tu dois être malheureuse! dit-il à la fin. Qu'est-ce que je pourrais bien faire pour toi?

Alors la bottine lui demanda si, par hasard, il ne pourrait pas la renvoyer sur la Terre et l'aider à retrouver une compagne à son image.

— Je ne peux pas t'aider à retourner sur la Terre, déclara le vieillard, d'une voix grave. Je ne suis qu'un pauvre ermite. Mon travail consiste à allumer la pleine lune, un point c'est tout. Tu vois, tu es prisonnière d'un de mes plus beaux rayons de lune.

— Mais où suis-je donc? pleurnicha la pauvre bottine.

— Au pays des rayons de lune, voyons! Tu ne le savais pas?

— Non, lui avoua la bottine.

— C'est bien pour cela, reprit l'allumeur de la pleine lune, que tu as failli égratigner mon plus beau rayon de lune avec ta folle glissade de tantôt!

— Pardonnez-moi, s'excusa la bottine, toute confuse, je ne pouvais pas savoir.

— Bon! Pour cette fois je ne dirai rien, assura le vieillard. Mais, pour ce qui est de te trouver une compagne, ma pauvre bottine, je crains de ne pouvoir rien faire pour toi. Il y a des choses que même un magicien ne peut pas réussir.

La petite bottine avait pourtant bien cru que ce magnifique vieillard aurait pu l'aider. Et voilà que ses espoirs s'enfuyaient une autre fois encore.

— Je peux peut-être t'offrir un bon conseil, reprit le vieil homme. J'ai un ami qui habite au pays des rayons de soleil, c'est tout près d'ici. Je ne sais pas s'il pourra t'aider, mais ça ne coûte rien d'essayer, n'est-ce pas?

La petite bottine sautillait de joie. Bien sûr qu'elle irait là-bas rencontrer l'ami du vieillard. Elle irait n'importe où pourvu qu'il y ait de l'espoir et qu'on cesse de lui donner des coups de pied.

— Nous attendrons donc le crépuscule, continua le vieillard. Tu t'embarqueras sur une étoile filante de mes amis. Elle te mènera jusque là-bas. Tu remettras cette brindille de menthe à mon ami. Il verra que tu viens de ma part et il te recevra gentiment. Maintenant, allons dormir un peu. Je crois que tu as grand besoin de repos.

Et la petite bottine et le vieil homme s'endormirent paisiblement dans le plus beau rayon de la pleine lune.

La bottine rêva que l'ami du vieillard vêtu d'étoiles était une pauvre petite bottine solitaire, comme elle. Quel beau rêve ce fut!

Puis vint le crépuscule. Le vieux magicien réveilla la bottine, car il ne fallait pas manquer l'étoile filante de 5 h 10!

CHAPITRE 2

AU PAYS DES RAYONS DE SOLEIL

Sacrée petite bottine! C'était la première fois qu'elle voyageait sur une étoile filante. Elle trouva cela extraordinaire. "De première classe!" songeait-elle.

À vive allure dans l'espace, dépassant les étoiles souriantes et les constellations aux dessins artistiques, elle se dirigeait vers le pays des rayons de soleil.

Ouf! plus elle approchait de sa destination, plus la chaleur augmentait. C'est qu'ils dégagent une terrible chaleur, ces rayons de soleil!

Elle arriva finalement dans ce pays inconnu.

— Au revoir! lui dit l'étoile filante avant de s'élancer à nouveau dans l'espace.

— Au revoir! répondit la petite bottine, en agitant un bout de son lacet.

Le pays des rayons de soleil était une vraie fournaise. La pauvre bottine suait de tout son cuir. Ses talons restaient collés aux rayons ardents tellement il faisait chaud là-bas.

Mais ce pays était un endroit merveilleux. Il y avait partout de magnifiques raies de lumière solaire qui tombaient comme des guirlandes jaunes et orangées. Un peu comme ces beaux rayons de soleil qui entrent par la fenêtre de ta maison et dans lesquels dansent et virevoltent des centaines et des centaines de grains de poussière qui ressemblent à de petites fées.

Soudain, entre deux rayons plus resplendissants que les autres, surgit une vieille chaussette.

— Qui êtes-vous donc, dong-a-dong! dit-elle en apercevant la bottine.

— Je ne suis qu'une pauvre bottine, répondit notre amie. J'arrive tout juste du pays des rayons de lune où j'ai rencontré votre ami, l'allumeur de la pleine lune. Il m'a remis ceci pour toi, si tu permets que je te tutoie!

Elle donna la brindille de menthe à la vieille chaussette.

— Hum! Que me veux-tu donc, dong-a-dong?

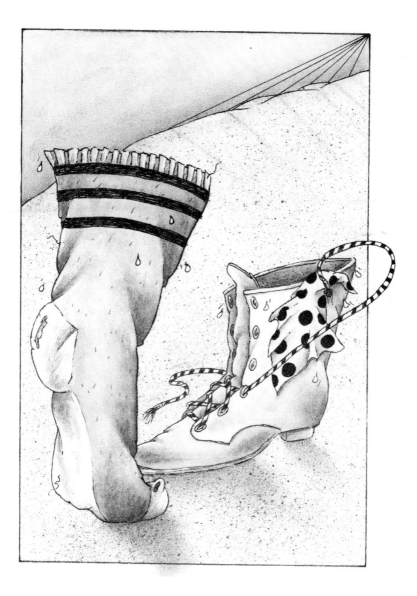

— Je suis à la recherche d'une compagne à ma ressemblance, lui avoua-t-elle.

— Sais-tu au moins le mot de passe, or donc, dong-a-dong? lui demanda la vieille chaussette.

— Le mot de passe? s'étonna la pauvre bottine.

— Oui, le mot de passe! répéta la vieille chaussette. Donc, dong-a-dong! Combien font un rayon de soleil plus un rayon de soleil, hein?

— Oh! fit la pauvre bottine, comme c'est compliqué! Je dois vraiment répondre à cette question?

— Mais oui, c'est la règle! répondit la vieille chaussette.

— Euh! . . . Un rayon de soleil plus un rayon de soleil? pensa très fort la pauvre bottine, euh! ça ne ferait pas deux rayons de soleil, par hasard?

— Eh non! Dong-a-dong! ricana la vieille chaussette. Mais . . . Bof! Puisque tu viens de la part de mon ami l'allumeur de la pleine lune, je peux bien te le dire, va! Or donc, dong-a-dong! un rayon de soleil plus un rayon de soleil, ça fait . . . ça fait . . . une belle journée d'été! Voilà! Le savais-tu?

— Euh! non, répondit, un peu honteuse, la pauvre bottine.

— Donc, dong-a-dong! continua la vieille chaussette, maintenant tu le sais. Ne l'oublie plus.

— Je te le promets, lui assura la bottine, trop contente de s'en tirer à si bon compte. Mais, pour ma compagne?

— Ah! la la! c'est vrai, répondit la vieille chaussette. J'avais complètement oublié. C'est que je ne connais pas d'autre bottine que toi, moi! Encore, si moi-même je rencontrais une autre chaussette! Tu vois, j'ai le même problème que toi, ma pauvre amie. La solitude est lourde à supporter, n'est-ce pas?

— À qui le dis-tu! répondit la pauvre bottine. Alors il n'y a vraiment rien à faire?

— Tu n'as jamais essayé d'aller voir chez un cordonnier? demanda la vieille chaussette.

— Oh! que non! Si tu savais ce que ces gens font subir aux pauvres vieilles bottines solitaires, tu n'en reviendrais pas!

— Tant que ça donc, dong-a-dong? s'étonna la vieille chaussette. C'est comme moi, tiens! si tu savais ce que l'on fait subir aux pauvres vieilles chaussettes esseulées, tu n'en reviendrais pas non plus!

— Tant que ça?

— Et bien pire! Voilà pourquoi je vis seule ici, dans cette fournaise. Quand on habite au pays des rayons de soleil, tu sais, il ne faut pas songer à se mettre au frais.

— C'est donc si chaud? s'informa la petite bottine.

— Chaud donc, dong-a-dong? Regarde-moi: il me faut me tordre à tout bout de champ. Je n'en finis plus de suer toutes les sueurs du monde. Ah! quelle calamité!

— Mais c'est quand même très joli ici, s'étonna la bottine en regardant l'horizon.

— Joli, oui, mais si chaud! si chaud! se lamenta la vieille chaussette.

— Pauvre vieille chaussette! dit la petite bottine, d'un ton compatissant. Je ne peux rien faire pour toi et tu ne peux rien faire pour moi. Comme c'est triste!

— Eh oui! fit la vieille chaussette. C'est notre destin de vivre en solitaires. Jamais je n'habillerai un pied en compagnie d'une amie. Et comme j'aurais aimé habiter dans ta semelle, petite bottine. Mais voilà, comment donc, dong-a-dong?

— Eh oui! répéta la petite bottine. Comment?

— Peut-être que mon ami qui vit dans le pays voisin saurait te venir en aide, proposa la vieille chaussette. On ne sait jamais.

— Peut-être? reprit la bottine, avec une lueur d'espoir.

— Or donc, dong-a-dong! tu pourrais t'y rendre en prenant le même chemin qui m'a menée jusqu'ici.

— Ce sera difficile? s'inquiéta la bottine.

— Je ne crois pas. Quoique, je t'avoue, j'étais tellement en colère lorsque j'ai abouti dans ce pays, que je ne me rappelle plus très bien. Imagine-toi donc, dong-a-dong! qu'on voulait se servir de moi pour cirer et polir des souliers. Non, mais! Tu me vois la figure toute noircie, à m'user la laine sur le cuir d'un tas de chaussures que je ne connaissais même pas?

— Quel drame! dit la petite bottine, fort émue.

— Tu l'as dit, chère bottine, dong-a-dong! Moi qui étais faite pour chausser le pied d'une reine. Enfin! . . . Or donc, dong-a-dong! pour te rendre au pays du souffle du vent, là où habite mon ami, essaie donc de souffler de toutes tes forces sur les rayons de soleil. Peut-être réussiras-tu à chasser le beau temps fixe et à rejoindre la contrée voisine?

— Est-ce que c'est très loin d'ici? s'informa la petite bottine, anxieuse de découvrir ce nouveau pays.

— Ni oui, ni non, dong-a-dong! Tu verras bien. Tiens! prends cette allumette et remets-la de ma part à mon vieil ami. Il te recevra comme une invitée de marque.

— Je te remercie infiniment, vieille chaussette. Un jour, je te revaudrai tout cela. Je te le promets.

— Donc, dong-a-dong! reprit la vieille chaussette, si on allait se faire rôtir quelques saucisses en attendant l'heure de ton départ? Qu'en dis-tu? Aimes-tu les saucisses de laine?

— Je préfère un bon spaghetti de lacets. Mais je ne serai pas difficile pour cette fois. Allons donc, dong-a-dong! Va pour les saucisses de laine.

— Ce n'est pas malin de trouver un four, dit la vieille chaussette. Regarde, il y a la chaleur des rayons de soleil partout, alors?

Et la vieille chaussette et la petite bottine partirent pied dessus pied dessous, boitant d'un côté et de l'autre entre les rayons gigantesques qui recouvraient ce pays.

C'était tout à fait drôle de voir ce pied de bas et cette bottine aller clopin-clopant. Quel étrange couple ils faisaient, tout de même!

La petite bottine devint tellement friande de saucisses de laine frites, qu'elle en oublia presque l'heure. Vite! Il ne fallait pas trop traîner si elle voulait rejoindre le pays du souffle du vent. Le temps d'avaler un dernier bout de saucisse et la voilà qui s'installe sur un gros rayon de soleil et qui se met à souffler à en perdre haleine.

— Au revoir et merci pour tout, vieille chaussette!

— Au revoir et bonne chance, chère bottine! N'oublie pas: un rayon de soleil plus un rayon de soleil, ça fait une belle journée d'été ensoleillée.

— Je n'oublierai pas! Une belle journée d'été ... répéta la petite bottine, alors que son terrible souffle la poussait déjà vers le pays d'à côté.

Vraiment, elle n'avait rien vu du voyage, tant cela se passa vite. Quelle course!

CHAPITRE 3

AU PAYS DU SOUFFLE DU VENT

La pauvre bottine, tout essoufflée, se retrouva au beau milieu d'un incroyable pays où il n'y avait que du vent: des vents du nord glacials, de douces brises du sud, de faibles vents d'est tout humides, de violents vents d'orage et des vents de tempête déchaînés.

Ouf! comme c'était compliqué de se tenir en équilibre dans ce pays! Surtout pour une pauvre petite bottine qui ne pouvait pas s'appuyer sur deux pieds. Elle volait au gré des vents, malmenée par le souffle tantôt froid, tantôt très chaud, de ce pays en colère.

Juste comme elle allait se remettre à pleurer, une voix caverneuse lui fit tourner la tête. Elle eut un bref sursaut en apercevant un pantalon de toile qui se tenait tant bien que mal entre les grands soupirs de deux vents contraires.

— Qui es-tu et que veux-tu? demanda le pantalon. Zzzip! Je gage que tu es perdue?

— C'est ton amie, la vieille chaussette du pays des rayons de soleil, qui m'envoie, répondit la pauvre bottine. Elle m'a chargée de te remettre ceci.

Elle tendit l'allumette au pantalon.

— Oh! oh! oh! Zzzip! fit le pantalon. C'est bien un présent de mon amie la vieille chaussette. Il y a si longtemps que je ne l'ai point rencontrée. Elle va bien?

— Elle se sent un peu seule. Mais je crois qu'elle se porte bien.

— Zzzip! Tant mieux! fit le pantalon. Alors? Qu'est-ce que je peux faire pour toi?

La pauvre bottine raconta au pantalon ses aventures malheureuses, sa rencontre avec l'allumeur de la pleine lune, son séjour au pays des rayons de soleil et son voyage vers le pays du souffle du vent.

La pantalon l'écoutait religieusement, intéressé par le récit farfelu de cette pauvre bottine. D'un air supérieur, il regardait de haut cette chose que, d'habitude, il recouvrait de son tissu.

— Hum! fit-il à la fin de l'histoire. Zzzip! Zzzip!

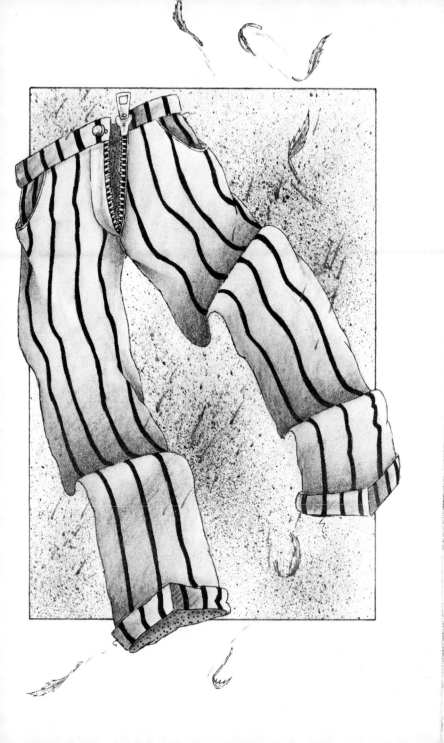

Zzzip! Je ne sais pas si je peux me permettre d'aider une bottine, étant donné mon rang. Mais je veux bien faire quelque chose pour toi.

La pauvre bottine s'imaginait qu'il allait lui présenter enfin une soeur jumelle. Elle attendait le coeur battant. Le pantalon se leva, étira ses longues jambes d'étoffe et dit:

— Ici il n'y a pas d'autre bottine que toi. Je vis seul au pays du souffle du vent. Mais je t'aiderai si tu découvres le mot de passe.

— Encore un mot de passe? s'étonna la pauvre bottine.

— Tu n'aimes pas les . . . Zzzip! . . . mots de passe? demanda le pantalon, moqueur.

— C'est que je les trouve bien compliqués, avoua la petite bottine.

— Zzzip! C'est fait pour ça les mots de passe. Alors, allons-y: dis-moi pourquoi les vieilles maisons craquent-elles lorsqu'elles sont chahutées par le vent, hein?

— Euh! . . . Parce qu'elles ont peur? risqua la bottine.

— Zzzip! ricana le pantalon. Tu n'y es pas du tout. Mais alors là, pas du tout! Tant pis!

— Tu ne m'aideras donc pas? s'inquiéta la pauvre bottine.

— Bof! soupira le pantalon. Puisque tu es une amie de la vieille chaussette et de l'allumeur lunaire, je t'aiderai quand même. Mais n'oublie pas la réponse: si les vieilles maisons craquent, c'est leur façon à elles de rire parce que le vent les chatouille tellement, voilà!

— Je ne l'oublierai pas, lui assura la bottine, amusée par cette réponse.

— Bon! fit le pantalon. Et Zzzip par-ci! Et Zzzip par-là! Et puis voilà! J'ai une connaissance qui habite pas loin d'ici, de l'autre côté du pays du souffle du vent, au pays de la pluie. Je ne sais pas si elle pourra te renseigner mieux que moi, mais qui ne risque rien n'a rien, n'est-ce pas?

— Mais comment vais-je pouvoir me rendre là-bas? demanda la pauvre bottine, anxieuse.

— Attendons un peu. Le vent finira bien par amener de gros nuages qui crèveront à la frontière et alors tu seras poussée jusqu'au pays de la pluie. Zzzip! Comme une hirondelle sur un coup de vent. Et Zzzip! Zzzip! Zzzip!

— Je veux bien, acquiesça la bottine. Pourvu que je ne me perde pas.

34

— Pas de danger! lui assura le pantalon. Je connais mon pays et ses sautes d'humeur. Je te choisirai une belle averse, ça te va?

— Bien sûr! Ce sera parfait.

— Ah! Zzzip! soupira le pantalon. Ces jolies averses de pluie me rappellent ma Terre natale. Parfois je m'ennuie tellement de la Terre.

— Pourquoi ne pas y retourner? lui proposa la bottine, tout émue.

— Jamais! Zzzip! et re-Zzzip! répondit le pantalon, insulté. L'homme que j'habillais si bien voulait faire de moi une courtepointe. Non mais, Zzzip! tu me vois en courtepointe, toi, petite bottine?

— Hum! C'est vrai que c'est une drôle de fin pour un si beau pantalon. Mais il y a de la vie dans une courtepointe, et des tas d'autres étoffes à rencontrer.

— Ouais! On voit bien que ce triste sort ne te touche pas, toi. On a beau parler lorsqu'il s'agit du malheur des autres. Tant qu'on n'a pas vécu leurs craintes, on ne peut pas comprendre. Alors je suis parti comme un coup de vent et je me suis retrouvé ici.

— Peut-être que tu as raison, répondit la bottine.

Ne sois pas si triste, pantalon. Je te promets qu'un jour je reviendrai. Alors je te ramènerai sur la Terre et tu vivras en pantalon que tu es.

— Pas dans une courtepointe?

— Pas dans une courtepointe. Rien qu'en pantalon, c'est promis.

— Zzzip! Zzzip! Zzzip! Hourra! fit le pantalon, éclatant de joie. Je t'attendrai impatiemment, chère petite bottine.

Maintenant le pantalon ne regardait plus de haut cette petite bottine. On a souvent besoin d'un plus petit que soi. Le pantalon venait tout juste de comprendre cela. Il avait bien mal jugé cette bottine en fin de compte.

— Tu sais que tu es très gentille? dit le pantalon.

La petite bottine en rougit jusqu'à la semelle. Le pantalon entreprit une danse de joie sur un doux vent du sud-ouest. La bottine entra dans la ronde et ils dansèrent jusqu'à ce que de gros nuages noirs apparaissent au loin, à la frontière du pays du souffle du vent.

— Maintenant, Zzzip! dit tout à coup le pantalon, il faut surveiller la première ondée. Laisse-toi aller, chère petite bottine. Zzzip! En voilà une là-bas qui se prépare. Vite! Zzzip! Vite! Accroche-toi bien. Elle te mènera au pays de la pluie. Tiens, prends ce fuseau de fil à coudre. Remets-le à mon ami qui habite là-bas. Ainsi il saura que tu viens de ma part. Adieu, chère petite bottine et bonne chance!

— Au revoir, pantalon! Je reviendrai bientôt.

— N'oublie pas, cria le pantalon alors que la bottine s'élançait sur un coup de vent orageux, n'oublie pas: lorsque les vieilles maisons craquent, c'est parce qu'elles rient . . . Et Zzzip!

La petite bottine était trop loin maintenant. Elle filait dans le vent, à cheval sur une averse.

Puis elle arriva au pays de la pluie.

CHAPITRE 4

AU PAYS DE LA PLUIE

"Ouf! quel transport!" se dit la pauvre bottine en mettant pied à terre dans ce nouveau lieu. En plus que la voilà toute trempée. Quel fichu pays! Il pleuvait sans cesse dans ce coin. Des averses, des ondées, des giboulées, des orages et des déluges, bref, des tonnes et des tonnes d'eau de pluie qui n'arrêtaient pas de s'amasser partout dans le pays.

Le pauvre bottine craignait d'attraper un mauvais rhume. "Comment peut-on vivre tout le temps sous la pluie? se demandait-elle. Comme ce doit être triste!"

Encore une fois elle se sentait bien seule et complètement perdue ... Quel était donc cette connaissance dont lui avait parlé le pantalon du pays du souffle du vent? Vivait-elle encore dans les parages? Peut-être était-elle partie, depuis le temps?

Autant de questions qui n'étaient pas sans inquiéter la pauvre bottine. Elle se résigna donc à boitiller au hasard sous la pluie, à la recherche de la connaissance du pantalon.

Elle n'avait pas clopiné dix pas qu'elle aperçut, à travers les lueurs étranges d'un orage, une chemise qui se tenait bien droite, les manches croisées, et qui la regardait d'un oeil sournois.

— Alors, petite bottine? dit soudain la chemise. On se promène en touriste dans mon pays? Sans m'en demander la permission, bouti-bouton?

— Je ne suis pas une touriste, lui répondit la petite bottine. De plus, je n'ai pas l'intention de déranger quoi que ce soit dans "ton" pays, comme tu dis.

— Ah non? Bouti-bouton! fit la chemise. Mais dis-moi, sais-tu au moins le mot de passe?

— Encore? s'exclama la pauvre bottine.

— Comment encore? Bouti-bouton!

— Eh bien, je viens des pays des rayons de soleil et du souffle du vent. Là-bas aussi, on m'a demandé le mot de passe. C'est agaçant à la fin! Je n'en connais aucun, moi, de mot de passe.

— Pas de mot de passe, pas de visa de séjour!

décida la chemise. Sans cela, je verrais bientôt mon pays tranquille envahi par des hordes de touristes trop curieux. Non, non et non! Bouti-bouton! J'aime trop ma tranquillité. Je ne veux pas que le pays de la pluie devienne une station de vacances. Tu peux repartir d'où tu viens, petite bottine.

— Demande-moi toujours le mot de passe? suggéra la bottine.

— Ouais! C'est bon, bouti-bouton! Dis-moi donc pourquoi la pluie semble-t-elle toujours aussi triste, hein?

— Je ne sais pas, dit la pauvre bottine.

— Ah non? Bouti-bouton! insista la chemise.

— C'est toujours la même chose, répondit la pauvre bottine. Je ne connais jamais les réponses, pauvre de moi!

— Allons, allons! Bouti-bouton! Ne pleure pas comme ça, petite bottine. Je ne voulais pas te faire de la peine, voyons donc, bouti-bouton! Je ne rencontre jamais personne ici; alors, quand j'ai la chance de croiser quelqu'un, eh bien, bouti-bouton! j'aime bien lui faire la conversation.

La pauvre bottine sanglotait dans un coin. La vieille chemise s'approcha d'elle.

— Si tu arrives du pays du souffle du vent, commença-t-elle, tu as sûrement rencontré mon ami le pantalon? Bouti-bouton!

— Mais oui! répondit la bottine, et il m'a remis ce fuseau de fil pour toi.

— Ah bon! Bouti-bouton! Mais alors c'est différent, petite bottine. Sois la bienvenue dans mon pays pluvieux. Madame la pluie est heureuse de te recevoir sur son sol.

— Mais pour le mot de passe? s'informa la bottine.

— Disons que nous l'oublierons pour cette fois, bouti-bouton! Mais je vais tout de même t'en dévoiler la réponse. Voici: si la pluie semble aussi triste, toujours, c'est qu'elle ressemble à des milliers de larmes, comme un gros chagrin du temps.

— Si triste que ça? s'étonna la petite bottine.

— Presque! C'est très triste, non? Bouti-bouton!

En disant cela, la chemise du pays de la pluie caressa le talon de la petite bottine, qui en fut fort émue.

— Qu'attends-tu de moi? demanda la chemise à

la pauvre bottine sentimentale. Réponds, bouti-bouton!

Alors la pauvre petite bottine recommença une autre fois le récit de sa triste histoire. Aussi triste que la pluie. La chemise, qui était très émotive, dut se déboutonner pour laisser passer les sanglots qui l'étreignaient.

— Et c'est comme ça, conclut la bottine, que j'ai atterri ici, au pays de la pluie, en espérant que tu puisses m'aider à retrouver ma soeur jumelle et le chemin de mon pays à moi.

— Hon! Bouti-bouton! Ce n'est pas une mince affaire que tu me demandes là. C'est que je ne connais pas d'autre bottine que toi, moi! Quelle question, bouti-bouton!

— Alors il n'y a rien à faire? demanda tout attristée la pauvre bottine.

— Que puis-je faire d'autre? Je suis vraiment désolée.

— Suis-je condamnée à errer dans ces pays inconnus tout le reste de ma vie? soupira la pauvre bottine. Personne jamais ne pourra donc régler mon problème?

— C'est que ton problème, c'en est un fameux de

bon, bouti-bouton! dit la chemise, fort contrariée. Prends moi, par exemple: jamais je ne pourrai avoir de soeur jumelle. Qui donc porte deux chemises en même temps? Qui? Bouton-bouti! Tu vois, on a tous nos petits et grands problèmes dans la vie. Il y a très longtemps, le pantalon et moi habillions le même homme. Le pantalon a dû te raconter de quelle façon cet ingrat voulait nous traiter? En courtepointe qu'il voulait nous recoudre, le sacripant! Ça ne tournait pas rond, bouti-bouton! Moi, je me suis faufilée une nuit sur la rosée qui remontait en brouillard vers le firmament. Mais je me suis perdue en cours de route et, pauvre de moi, je me suis retrouvée toute seule dans ce pays de la pluie, avec la première ondée du matin.

— Comme tu as dû être malheureuse! dit la petite bottine, remplie de compassion.

— Si tu savais à quel point, petite bottine, répondit la chemise au bord des larmes. Je ne suis qu'une vieille chemise reléguée aux oubliettes. Personne ne s'inquiète plus de moi. Nous ne sommes rien qu'un tas de vieux linge usé. C'est notre destin, je crois. Mais ce n'est pas bon, bouti-bouton! Nous pouvons toujours servir, n'est-ce pas?

— Et pourquoi pas? répondit la bottine. Seulement, qui voudra de nous? Voilà la question!

— Bouti-bouton! approuva la vieille chemise.

Elles poussèrent de profonds soupirs, la petite bottine et la vieille chemise, toutes deux seules dans le pays désolant de la pluie, sous les froides giboulées qui tombaient de plus belle.

— Il ne faut pas perdre espoir! décida tout à coup la bottine.

— Ah non? Bouti-bouton! fit la chemise. Et pourquoi donc, bouti-bouton?

— Parce qu'un jour, poursuivit la bottine, nous nous retrouverons tous et nous habillerons quelqu'un qui aura vraiment besoin de nous. Il y a tant de pauvres sur la Terre, tant de gens qui manquent de nourriture et de vêtements. Nous trouverons bien, parmi eux, quelqu'un qui sera très content de nous utiliser.

— Eh! fit la chemise, c'est une fameuse idée, ça, bouti-bouton! Pourquoi n'y avais-je pas pensé plus tôt?

— C'est parce que tu as oublié l'espoir, lui répondit fièrement la bottine dans un élan d'optimisme. Il y a toujours une solution à tous les problèmes. Il s'agit seulement de la chercher, au lieu de se lamenter sur son propre sort.

— Sais-tu que tu n'es pas bête du tout, petite bottine? J'aimerais bien devenir ton amie.

— Eh bien, c'est déjà fait, lui assura la bottine, tout heureuse de s'être fait une nouvelle amie.

— Alors je veux bien t'aider, reprit la chemise. Dans le pays voisin, le pays du brouillard, vit un de mes amis. Tu verras, il est très chaleureux. Remets-lui ce bouton de ma part, il t'écoutera.

— Est-ce qu'il me demandera le mot de passe, lui aussi? s'inquiéta la petite bottine.

— Probablement, mais ne lui dis pas que je t'en ai parlé. Puisque nous sommes de bonnes amies, je vais te donner la réponse. Écoute bien: il te demandera certainement comment il faut faire pour couper le brouillard en petits morceaux. Toi, tu lui répondras qu'il suffit de le refroidir pour qu'il redevienne liquide, puis de le faire geler et de le concasser ensuite en petits bouts de glace. Voilà! C'est tout bon, bouti-bouton! Simple, n'est-ce pas? Mais promets-moi de ne pas lui avouer que je te l'ai dit. Il pourrait se fâcher contre moi.

— C'est promis! lui assura la petite bottine, pleine de joie.

— Bon, bouti-bouton! Maintenant il faut te rendre là-bas. Je me demande si . . .

— Si quoi? demanda la bottine tout énervée.

— Il faudrait que tu aies très chaud pour que la chaleur réchauffant la pluie la transforme en brouillard. Alors, instantanément, tu te retrouverais au pays du brouillard.

— Je pourrais courir très, très vite? proposa la bottine.

— Oui, c'est ça! approuva la vieille chemise. Le plus vite que tu peux et que ton pas soit très long, bouti-bouton!

— Je n'aurai pas de mal? s'inquiéta la pauvre bottine.

— Pas le moins du monde. Courir, c'est excellent pour la santé. Bon, bouti-bouton! Eh bien, moi, il faut que j'aille recoudre mes boutons, bouti-bouton! J'attendrai de tes nouvelles, petite bottine.

— Je reviendrai te chercher, c'est promis, lui assura la petite bottine.

Alors elle se mit à courir de toutes ses forces, bravant les petites ondées et les gros orages, fouettée par cette pluie qui n'en finissait plus de tomber, de tomber, de tomber . . .

Soudain, elle eut si chaud que de grosses gouttes de sueur perlèrent sur son cuir. La pluie, petit à petit, devenait moins violente et puis, tout à coup, elle cessa complètement. Mais la pauvre bottine n'y voyait plus rien devant elle, ni devant, ni derrière, ni sur les côtés. Elle était sûrement arrivée au pays du brouillard.

CHAPITRE 5

AU PAYS DU BROUILLARD

La petite bottine, remise de ses émotions, battit du lacet et ouvrit tout grands ses six paires d'yeux.

– Brrrr! Comme il fait humide, ici! dit-elle en frissonnant.

En effet, un brouillard épais comme une purée de pomme de terre recouvrait totalement ce pays. On n'y voyait pas à un mètre devant soi. Rien que cette sorte de brume dense qui ressemblait à de la fumée, mais qui ne picotait pas les yeux.

C'était sûrement un pays tout plein de mystères. La pauvre bottine avait la chair de poule. Elle commença à boiter fébrilement pour tenter de se réchauffer.

Comme elle grelottait, toute tremblotante, elle vit au loin un superbe chandail de laine qui sautillait en agitant ses longues manches; comme font les humains aux prises avec le froid.

51

— Ohé! lui cria la petite bottine.

— Qui m'appelle? s'étonna le chandail de laine.

— Je suis ici, fit la petite bottine, faisant de grands gestes du bout de son lacet.

Le chandail, qui semblait fort myope, s'approcha à tâtons.

— Mais parle donc, tricoco! Tu vois bien que je suis myope comme une taupe.

— Ici! dit la bottine en essayant de diriger le chandail. Non, par ici! À gauche. Voilà!

— Tiens, tiens, tiens! fit le chandail. Un chapeau? Un chapeau de laine chez moi, tricoco?

— Je ne suis pas un chapeau, rectifia la petite bottine. Je suis une bottine.

— Une bottine? répéta le chandail. Tricoco! j'aurais pourtant juré qu'il y avait un chapeau là, tout à l'heure, juste à l'endroit où tu es. Ah! si je pouvais retrouver mes lunettes de laine!

— Tu y vois mal? demanda la bottine.

— Non, non, non, ce n'est pas ça. Pas ça, non. Je n'y vois tout simplement rien à rien, tricoco!

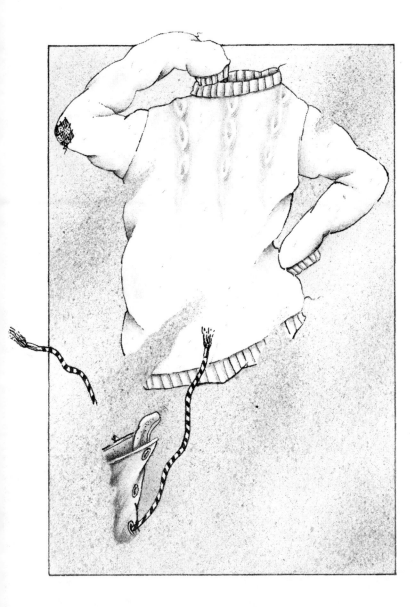

— Est-ce que tu me vois, maintenant?

— À vrai dire, je n'aperçois qu'une forme vague. C'est très flou.

— J'arrive à l'instant du pays de la pluie, expliqua la petite bottine. Ton amie la chemise m'a conseillé de venir te rencontrer. J'ai un grave problème à résoudre.

— J'espère qu'il n'est pas d'ordre visuel, ton problème, petite bottine? fit le chandail.

— Voilà un bouton qu'elle m'a chargée de te remettre.

— Cette chère vieille chemise, tricoco! soupira le chandail. Comment va-t-elle?

— Oh! pas mal du tout. Mais elle se sent un peu seule.

— Comme nous tous, tricoco! dit le chandail. Ah! mes enfants, quelle triste vie! Quel malheur! En plus que j'ai oublié mes lunettes sur la Terre. Je suis parti si vite.

— On te pourchassait donc?

— Bien pire que cela, tricoco! On essayait de me détricoter pour me retricoter en tuque et en mitaines, moi, un chandail de la race des pulls irlandais de vieille souche! Tu n'y penses pas, tricoco! Quand j'y songe, j'en frémis d'horreur . . .

— Il fait très humide ici, n'est-ce pas? s'informa timidement la pauvre petite bottine.

— Nous sommes bien loin du pays des rayons de soleil, lui répondit le chandail. Mais je m'en accommode assez bien, avec tout ce lainage. Ce qui me peine, c'est de ne rien voir clairement. Mais, j'y songe, parlant de clarté, est-ce que tu connaîtrais le mot de passe, par hasard?

— Euh! . . . Peut-être que oui, peut-être que non! mentit la bottine en rougissant.

— Bof! ça ne fait rien. Je te demandais ça parce que je l'ai moi-même oublié. Alors tu aurais pu me le rappeler.

— Tu ne t'en souviens donc pas? s'étonna la bottine, abasourdie.

— Eh non! lui avoua le vieux chandail de laine. Depuis si longtemps, tricoco! Mes vieilles mailles de laine ne fonctionnent plus aussi bien qu'avant, dans mon ancien temps. Ah! c'était la belle époque. Quand j'étais tout frais tricoté, tricoco!

— Mais, dis-moi, lança fièrement la petite bottine, ce ne serait pas par hasard, euh! . . . Comment il faut faire pour couper le brouillard en petits morceaux?

— C'est ça! s'écria joyeusement le vieux chandail. C'est bien ça, tricoco! Hourra! pour la petite bottine! Mais comment le sais-tu?

— Oh! mentit-elle à nouveau, une simple intuition . . .

— Ah? Tricoco! Tu intuitionnes assez bien pour une pauvre petite bottine, complimenta le vieux chandail myope. Mais dis-moi, finalement, comment fait-on pour couper le brouillard en petits morceaux, hein?

La petite bottine fit semblant de se creuser les méninges. Elle plissa ses douze yeux et claqua de la langue. Puis, tapant nerveusement du talon, elle annonça:

— Hum! Je dirais qu'il suffit de le refroidir pour qu'il redevienne liquide, et puis de faire geler cette eau et de la concasser en petits bouts de glace, voilà!

— Rien que ça, tricoco? s'étonna le chandail. Eh bien, je ne l'aurais jamais cru!

— Tu ne le savais pas? dit tristement la pauvre bottine.

— Pas du tout, tricoco! avoua le vieux chandail.

La pauvre petite bottine était franchement déçue d'avoir raté son coup. Elle aurait tellement voulu impressionner ce vieux chandail, pour une fois qu'elle connaissait un mot de passe.

Le brouillard donnait vraiment des allures de mystère à ce coin de pays. Le pays des rayons de soleil était si loin qu'un éternel crépuscule semblait régner dans la région. Et cette humidité qui gelait jusqu'aux os. Brrrr!

— Mais, tu avais un problème à me soumettre, je crois? demanda le chandail.

Alors la pauvre bottine dut recommencer sa longue histoire. Elle la connaissait si bien maintenant qu'elle avait l'impression de raconter une histoire de fée apprise dans un livre de contes.

Le vieux chandail de laine frissonnait en écoutant le récit désespéré de la pauvre petite bottine.

— Tricoco! dit-il à la fin. Ce n'est pas qu'une petite histoire que tu me racontes là, pauvre petite bottine. Tricoco! Vraiment, je ne peux rien pour toi.

— Toi non plus, alors? pleurnicha la pauvre bottine.

— Eh non! Que veux-tu? Je suis à demi aveugle, paralysé par cette incessante humidité, et je n'ai même pas un bout de laine pour repriser mes rides. Déjà que je m'en viens grincheux sur les bords; un brin radoteux, même, tricoco! Alors? Qu'est-ce que je pourrais bien faire pour toi?

— Encore une autre déception, dit la pauvre bottine en essuyant douze larmes qui s'écoulaient de ses oeillets.

— Mais . . . attends un peu, tricoco! dit tout à coup le chandail. Il y aurait peut-être mon ami qui habite le pays des nuages, tout à côté. C'est qu'il est pas mal habile de sa main, le fameux, tricoco!

— Tu crois qu'il pourrait me conseiller?

— Peut-être bien que oui, peut-être bien que non, tricoco! Il s'agit d'y aller voir.

— D'accord! accepta la bottine. Je veux bien me rendre là-bas. Si tu me dis comment, évidemment.

— Ouais, tricoco! Il y aurait toujours bien l'évaporation.

— L'évaporation!?! fit la petite bottine, éberluée.

— Mais oui, l'évaporation! Lorsque le soleil brille dru, l'eau sur la Terre se transforme en brume, et elle grimpe et elle grimpe dans l'atmosphère pour aller former les nuages. Tu ne le savais pas?

— Mais non, avoua la petite bottine.

— Ah bon! s'étonna le chandail. Tant pis! Tricoco! Maintenant, tu le sais. Et justement, voilà notre affaire: si tu pouvais grimper dans l'atmosphère avec un banc de brouillard, eh bien, ce ne serait pas long que tu te retrouverais au pays des nuages, tricoco! Fallait y penser! On a beau ne plus y voir très clair, il y a toujours de la tricocologie qui travaille là-dedans, bout-de-laine!

— Est-ce qu'il fait aussi froid qu'ici, au pays des nuages? demanda la petite bottine, grelottante.

— Ça dépend des régions, tricoco! Ça dépend si ces nuages sont des cumulus, des cirrus, des nimbus ou des stratus. Tiens! Prends cette aiguille à triquiticoter. Donne-la à mon ami et dis-lui bonjour de ma part. Tu verras, c'est un rêveur: il est toujours dans les nuages, tricoco!

— Merci pour tout, dit finalement la petite bottine. Je ne t'oublierai pas, vieux chandail. Un jour je t'achèterai des lunettes et tu pourras y voir clair à nouveau. Et je te ramènerai sur la Terre. Comme ça, tu n'auras plus toujours froid. Car sur la Terre, il n'y a pas que du brouillard tout le temps.

— Ah! ma chère petite bottine, dit le vieux chandail, puisses-tu dire vrai, tricoco! Car tu ferais mon bonheur le plus parfait et tu réaliserais un de mes plus beaux rêves. Va, maintenant, pars à la recherche de ce banc de brouillard qui t'amènera au pays des nuages, petite bottine. J'attendrai ton retour avec impatience. Adieu, petite bottine, tricoco!

— Au revoir, vieux chandail, et à très bientôt!

Elle partit donc à la recherche de ce fameux banc de brouillard. Elle le découvrit après une vingtaine de minutes à boitiller aveuglément à travers la purée de patate. Le banc de brouillard se préparait justement à prendre l'ascenseur de l'évaporation de midi et demi.

"Peut-être, cette fois-ci, rencontrerai-je enfin celui ou celle qui comblera mes désirs?" songeait-elle, tout en s'élevant lentement vers le pays des nuages.

CHAPITRE 6

AU PAYS DES NUAGES

Le pays des nuages était un pays de douceur et de pureté. Ces amas d'ouate blanche ressemblaient à des matelas de rêve. Ils prenaient toutes sortes de formes bizarres, drôles parfois, imitant tantôt des têtes d'animaux, tantôt des profils de bonshommes ou de bonnes femmes tout à fait comiques.

Il y avait les beaux cumulus, tout de blanc vêtus, comme des moutons géants broutant dans le ciel; les cirrus, pareils à des cheveux d'ange s'étirant dans l'azur du firmament; les nimbus, lourds et crémeux, leur sommet comme des balles de coton, qui annoncent souvent du mauvais temps; et enfin, les sombres stratus, volant très bas, de couleur maussade, qui amènent toujours de l'orage.

La petite bottine admirait ce paysage fantastique, ses douze yeux arrondis, hypnotisés par la beauté de cette région, lorsqu'une voix nasillarde l'interpella:

— Pardon, mademoiselle, tu n'aurais pas aperçu un gant dans les environs?

La petite bottine sursauta. Un gant de laine tout percé venait à sa rencontre, marchant sur ses cinq doigts à la manière d'une araignée.

— Tu m'as fait peur! dit la pauvre bottine au gant de laine. Je t'ai pris pour une énorme araignée.

— Oh! excuse-moi, répondit le gant. Je ne voulais pas t'effrayer, doigt-de-pied! Tu n'as donc pas rencontré un gant de mes amis qui me ferait la paire, doigt-d'hiver?

— Non, je regrette. J'arrive tout droit du pays du brouillard, et ton ami le vieux chandail m'a conseillé de venir te confier mon grave problème. Il m'a fait promettre de te remettre cette aiguille à triquiticoter et aussi de te transmettre ses aimables salutations.

— C'est gentil de sa part, dit le gant. Toujours aussi myope, ce bon vieux tas de laine? Doigt-de-mitaine!

— Eh oui! répondit la petite bottine. Pauvre vieux chandail!

— Mais, dis donc, fit soudain le gant, on cause,

on cause et tu ne m'as pas parlé du mot de passe, hein? Doigt-de-satin!

— Toi aussi? lui dit la pauvre bottine. J'aurais dû m'en douter.

— Oui? Alors passons, doigt-de-carton!

— Mais non, mais non! dit la bottine. Pose-la-moi, ta question.

— Tu y tiens vraiment?

— Puisque je te le dis!

— Bon! Voilà: Qu'est-ce qui ressemble à un nuage, mais qui n'est pas pareil, hein?

— Euh!... fit la pauvre bottine, qui était franchement embêtée.

— Tu ne le sais pas? demanda le vieux gant de laine.

— Eh non! avoua malgré elle la pauvre petite bottine.

— Tant pis, doigt-de-ouistiti! Je te l'aurais bien dit quand même, doigt-de-mi-carême! Étant donné que tu es une amie du vieux chandail, les amies de mes amis sont mes amis, n'est-ce pas, doigt-de-chat?

— Alors? insista la petite bottine. Qu'est-ce qui ressemble à un nuage, mais qui n'est pas pareil, hein?

— Voyons, voyons, voyons que je me rappelle! Il y a longtemps que je n'ai pas songé à cela: quatre-vingts fois quarante-douze, multiplié par un doigt d'arithmétique sur la main, divisé par un pouce de mitaine-pas-de-pouce, ça fait . . . ça fait . . . si je retiens la racine carrée de l'écharde du pauvre doigt-de-millionième, disons, disons... euh!... Qu'est-ce qui ressemble à un nuage, mais qui n'est pas pareil, hein? Eh bien, c'est un autre nuage.

— Un autre nuage? s'étonna la petite bottine.

— Mais oui! affirma le gant. Car, as-tu déjà vu deux nuages pareils, toi, doigt-de-tralala?

— C'est bien vrai, répondit la petite bottine. Ce n'est pas bête du tout, ça, mon cher monsieur le gant de laine.

— Bien sûr, doigt-d'azur! fit le gant.

Et sur ses doigts ramollis, il dansa une valse ancienne. La petite bottine remarqua que ses mouvements ressemblaient aux gestes de la main d'un pianiste. Elle était très impressionnée par le talent du vieux gant de laine.

— Tu es musicien? lui demanda-t-elle.

— Mais oui! Qui te l'a dit, doigt-de-paradis?

— Oh! rien qu'à te regarder danser, n'importe qui s'en serait aperçu.

— Tu m'es sympathique, petite bottine, lui assura le gant. Tu sais, avant de venir ici, je gantais la main droite d'un merveilleux accordéoniste, là-bas sur la Terre. Je n'ai rien perdu de la forme, n'est-ce pas? Regarde comme je suis encore à l'aise, doigt-de-sol-dièse!

— Tu es tout à fait époustouflant! répondit la bottine en esquissant un pas de gigue.

— Oh! mais tu danses aussi, doigt-de-canari? s'étonna le gant valseur. Dansons ensemble alors, doigt-de-ténor!

La petite bottine et le vieux gant de laine turlutèrent un tango. Même tous les nuages dans le ciel d'encre pâle semblaient gigoter sur leur perchoir.

— Et tralala! Doigt-d'et caetera! fit le gant en tirant la révérence à la toute fin de la danse.

— Je suis tout essoufflée! soupira la pauvre bottine. Ouf!

— Tu n'aimerais pas habiter ici avec moi? lui demanda le gant de laine, un tantinet gêné. Nous pourrions organiser un grand spectacle pour la noce des nuages qui ne finit jamais, doigt-de-mai.

— C'est que je ne peux pas m'arrêter très longtemps ici, lui avoua bien tristement la bottine.

— Ah! non? C'est bien dommage, doigt-de-mon-vieil-âge! J'aurais tant aimé danser toujours avec toi, chère bottine, doigt-de-cygne!

La pauvre petite bottine raconta pour la nième fois son extraordinaire aventure.

— Alors tu es comme moi, dit le gant, à la recherche d'une jumelle qui ferait la paire, doigt-de-misère? Quoique pour moi ce serait plutôt un jumeau, doigt-de-sanglot! Mais je ne peux rien faire pour toi, dans tout mon désarroi, je suis au même point que toi, pauvre petite bottine gentille, doigt-de-vanille!

— Je dois donc continuer mon voyage? dit la pauvre bottine en pleurs.

— Je ne suis qu'un pauvre gant de laine tout percé, dit le gant, honteux. Si j'étais magicien, je pourrais te faire apparaître une petite bottine à ta ressemblance. Mais voilà! Mon seul talent c'est la musique, doigt-d'acoustique! Je peux bien rêver à toi, mais pas te recréer, malheureusement. La musique n'est qu'un rêve; un bien beau rêve, diras-tu, mais rien qu'un rêve tout de même. Je ne vois pas très bien de quelle façon je pourrais modeler une bottine avec une portée de Do-Ré-Mi-Fa-Sol-La-Si-Do . . . même si c'est très joli, doigt-de-mélodie!

— Peut-être un jour retrouverai-je ma soeur bottine et alors je reviendrai te chercher et je te présenterai un gant de la main gauche, et nous ferons la farandole, tous les quatre, sur le pont d'Avignon ou sur le pont de Québec, proposa la petite bottine.

— Et nous danserions sans jamais nous arrêter, continua le gant. Tout le long du jour, tout le long de la nuit, rien que de la musique et du bonheur, doigt-de-coeur. Comme ce serait merveilleux, doigt-de-gant-heureux!

— Continue d'espérer, lui conseilla la bottine. L'espoir, il n'y a que ça de vrai, tu verras.

— Tu devrais aller rencontrer mon ami au pays des tempêtes, dit tout à coup le vieux gant de laine. Je suis certain que tu lui plairais beaucoup, doigt-de-minou!

— Où est-ce, le pays des tempêtes?

— C'est un pays juste à côté d'ici. Il est situé derrière le gros nuage noir, là-bas. Il est bien gentil, mon ami. Et si charmant, doigt-de-vent!

71

— Mais comment y aller? s'inquiéta la pauvre bottine.

— Je te pousserai de la main, doigt-de-satin! Tu attraperas les grands vents des hauteurs, qui t'amèneront au pays des tempêtes. Allez, hop! Installe-toi sur ma paume. Es-tu prête?

— Je suis prête!

— Attends! fit soudain le gant. Chante-lui donc la complainte du vieux gant de laine. Il saura ainsi que tu viens de ma part. Ça se chante comme ceci:

C'était un pauvre gant de laine
Qui se sentait bien seul
Toujours il avait de la peine
C'est comme ça quand on est trop seul.

Il avait beau danser tout le temps
Chanter et faire de la musique
Sans ami il est trop long le temps
Et pleure le gant mélancolique.

— C'est beau mais c'est très triste, dit la bottine en reniflant une larme.

— Eh oui! C'est l'histoire de ma vie. Mais ainsi mon ami saura que tu viens de ma part. Et maintenant, c'est parti! hurla le vieux gant de laine pour chasser son chagrin, tout en donnant une forte poussée à sa nouvelle amie. Adieu, chère petite bottine! Je t'attends et j'espère, doigt-de-gant-solitaire!

— Au revoir . . . eut tout juste le temps de dire la petite bottine, avant d'être projetée à nouveau vers l'inconnu.

Cette fois, elle avait l'impression de flotter dans le vide, tout tranquillement, comme on flotte sur l'eau. Un troupeau de petits nuages la croisa en la saluant. Puis l'image du pays des nuages s'estompa derrière. Le pays des tempêtes se dessinait au loin, en arrière du gros nuage noir.

La pauvre petite bottine arriva dans ce pays comme une feuille de papier voltigeant follement dans la salle de classe d'une école.

CHAPITRE 7

AU PAYS DES TEMPÊTES

Une incroyable tempête balayait ce pays à l'année longue. La pauvre petite bottine n'arrivait pas à ouvrir ses yeux tant les bourrasques faisaient rage. Elle éprouvait d'énormes difficultés à avancer dans ce méli-mélo de tous les ouragans du monde réunis. Elle était ballottée comme une feuille d'automne, à la dérive sur des tourbillons qui l'étourdissaient cruellement.

Elle profita d'un moment d'accalmie pour reposer son cuir et ses lacets qui battaient au grand vent.

Elle crut soudain apercevoir un oiseau qui planait au loin.

— Atchoum! fit l'oiseau en se posant au pied de la petite bottine.

Mais ce n'était point un oiseau. En fait, c'était

un vieux foulard de laine qui se promenait dans les airs à la manière des volatiles.

— Atchoum! fit à nouveau le pauvre foulard, qui semblait terriblement enrhumé.

— Tu as pris froid? lui demanda la bottine.

— À qui le dis-tu!... Ah!... Atchoum! Depuis que je suis tombé par mégarde dans ce satané pays, j'éternue sans cesse. Un interminable coup de froid, tu vois. Atchoum!

— Ta laine ne te tient-elle pas au chaud?

— Lorsqu'on ha... Ah!... AH! Atchoum!... qu'on habite au pays des tempêtes, un petit tas de laine usée ne suffit pas à protéger du froid. Atchoum!

— Je suis gelée jusqu'à la semelle, lui avoua la pauvre bottine. J'entends craquer mes clous tellement ils gèlent. Nous ne pourrions pas faire du feu?

— Pas ici! répondit le vieux foulard, grelottant. Atchoum! Le vent l'éteindrait aussitôt. Atchoum! Et puis, de toute façon, je n'ai pas d'allumette.

— Peut-être qu'une petite chanson te réchaufferait le coeur? proposa la petite bottine.

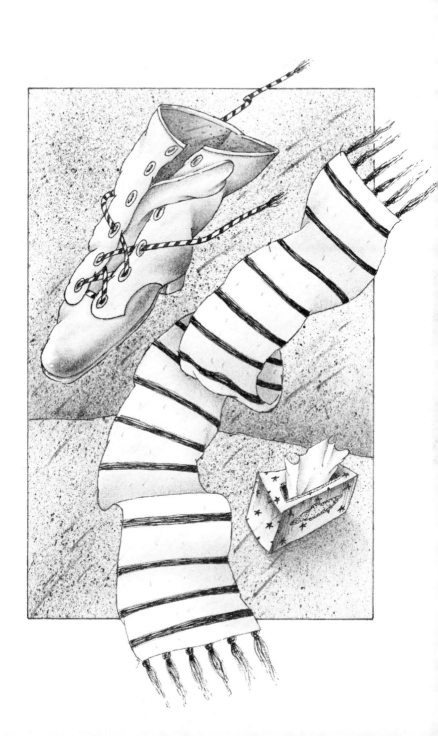

Elle commença à chanter la complainte du vieux gant de laine. Le vieux foulard en fut tout remué. Cette belle chanson provoquait une douce chaleur qui l'envahissait tout entier.

— Tu connais donc mon vieil ami, le gant du pays des nuages? lui demanda-t-il à la fin.

— Je viens tout juste de le quitter, répondit la bottine. Il t'envoie ses bons souhaits.

— Atchoum! ATCHOUM! J'en ai grand besoin, dit le foulard. Merc ... Ah! ... Atchoum! Merci quand même.

— À tes souhaits! dit la petite bottine.

— Merci, répondit le foulard en reniflant. Tu viens donc de bien loin pour chanter comme ça?

— Oh! C'est une longue histoire.

Encore une fois, la pauvre bottine dut répéter au foulard enrhumé le récit de ses aventures. Elle le savait sur le bout de ses orteils. Même si elle doutait que le foulard puisse lui venir en aide, elle n'omit aucun détail et lui révéla tout de son malheur.

— Tu es venue bien loin pour rien, atchoum! lui dit le foulard. Regarde-moi: je suis perdu dans ce pays atchoumant. Un soir où j'étais en train de sécher sur une corde à linge, un gros vent d'est se leva et m'emporta. Au début, cela m'amusa et je me mis à voler comme un oiseau. Mais, dans mon étourderie, j'ai poussé un peu trop loin le jeu. Alors voilà, sans m'en apercevoir j'avais volé jusqu'ici. Si tu savais comme j'étais désemparé lorsque je me suis retrouvé tout seul dans le pays des tempêtes, atchoumant à m'en fendre l'âme. Ah! comme je regrette la Terre et ses étés chauds et son soleil magnifique! Ah!... Ah!... ATCHOUM!

— Dis-moi, demanda la petite bottine, en volant sur ton chemin, tu n'aurais pas rencontré par hasard une pauvre petite bottine comme moi, mais du pied gauche?

— Pas à ma souvenance, répondit le foulard entre deux éternuements.

— Je savais bien, dit la pauvre bottine, résignée. Il ne me reste plus qu'à mourir de froid. Sniff!

— Mais dis-donc, atchoum! fit le foulard de laine, tu ne m'as pas répondu au mot de passe, toi?

— Tu ne me l'as pas demandé! Je ne peux pas répondre à une question qui ne m'est pas posée.

— Hum!... Atchoum! fit le foulard, assez content de pouvoir enfin embêter quelqu'un, depuis le

temps qu'il jonglait avec sa solitude. Dis-moi:
Comment... a-a... ah!... ATCHOUM! AT-
CHOUM!

— Je sais! coupa brusquement la bottine, on me
l'a déjà fait, ajouta-t-elle en soupirant.

— Tiens! Tu vois? pleurnicha le foulard. Tu me
gâches mon plaisir. Depuis le temps que je prépare
cette question! Si on ne peut même plus jouer
maintenant, j'aime autant m'en aller, moi, a-a...
ah!... Atchoum!

— Mais non, lui dit doucement la petite bottine.
Ne sois pas triste, vieux foulard. Je ne voulais pas
te froisser. Pose-la ta question. Je savais bien que
tu me poserais une question mais je ne savais pas
laquelle.

— Hum! À la bonne heure! dit joyeusement le
vieux foulard. Alors voilà: Comment fait-on pour
calmer une tempête dans un verre d'eau, hein?

Le vieux foulard, tout heureux de pouvoir enfin
s'amuser, avait posé sa question d'un air malicieux.
La pauvre bottine, bien sûr, ne connaissait pas la
réponse.

— Eh bien, je vais te le dire, annonça le foulard.
Pour calmer une tempête dans un verre d'eau, ma
chère, on le boit! Voilà a-a... atchoum!

La pauvre bottine était fort déçue de ne jamais connaître les réponses aux mots de passe. Le vieux foulard se demandait quelle punition il infligerait à l'ignorante.

— Me punir? s'étonna la bottine.

— Parce que tu ne connais pas la réponse juste, dit le foulard.

— On ne me l'a jamais apprise, répondit-elle, très insultée. Tu ne peux pas me punir pour une chose que je ne savais pas et à laquelle je n'ai pu répondre. Ce ne serait pas correct.

— Ouais! fit le foulard. Tu as a-a . . . ah! . . . atchoum! . . . raison. Je vais donc te pardonner si tu promets de ne plus l'oublier jamais. D'accord?

— D'accord!

— Atchoum! fit le vieux foulard.

— À tes souhaits! dit la petite bottine.

— Merci, soupira le vieux foulard. Ah! nous sommes si loin de ce bon gros soleil! Parfois j'essaie de l'imaginer et je rêve que je suis installé tout près, comme devant un bon feu de foyer, ces soirs d'hiver où la tempête rage sur la Terre. Ah! . . . ATCHOUM!

— Pauvre foulard! dit tristement la petite bottine. Je vais essayer de faire quelque chose pour toi. Accroche-toi à l'espoir. Un jour je retrouverai ma soeurette de petite bottine et je repasserai te chercher. Tu n'auras plus jamais froid.

— L'espoir me réchauffera, petite bottine, lui dit le foulard frissonnant de bonheur.

— Y a-t-il encore un autre pays plus loin? demanda la bottine.

— C'est vrai, tiens! fit le foulard. Je n'y a-a-a... ah!... Atchoum!... avais pas pensé. Un de mes amis habite là-bas. Dis-lui que mon rhume ne me lâche pas. Voici mon dernier mouchoir. Donne-le-lui, il te recevra avec joie. Et... oh! attention! Je sens que mon terrible Atchoum! de midi trente va exploser. Il te projettera dans le pays de la neige, sur la colère des tempêtes. Essaie de te guider jusque là-bas... Attention! Attention! At-a-at... At... Ah!... ATCHOUM!!!

— À tes souhaits! cria la pauvre bottine projetée dans les tempêtes par le foudroyant atchoum du pauvre foulard. Le malheur des uns fait le bonheur des autres!

— Adieu! disait le vieux foulard en agitant les tresses de laine à ses extrémités. A-a-a... ah!... atchoum!... Adieu!

— Au revoir! lui cria la petite bottine, tournoyant dans le vent.

Mais le foulard était trop loin maintenant. Le pays des tempêtes disparaissait parmi les premières chutes de neige. La pauvre bottine tenta tant bien que mal de rectifier son vol plané à l'aide de ses lacets.

Elle se posa finalement sur le sol du pays de la neige, qui ressemblait beaucoup à un grand drap de velours blanc.

Seulement, il y faisait encore plus froid. Brrrr! fit la pauvre petite bottine.

CHAPITRE 8

AU PAYS DE LA NEIGE

Il devait tomber des tonnes et des tonnes de neige dans ce pays tout de blanc vêtu. Mais comme c'était joli, tous ces flocons qui voletaient paresseusement dans le ciel d'un gris plein de douceur.

Il y avait de la place pour construire des milliers de forts dans toute cette neige, et des dizaines et des centaines de bonshommes de neige, une armée de bonshommes de neige! Et combien de boules de neige pourrait-on façonner? Des tas et des tas, des montagnes de boules de neige; ou alors une seule boule de neige qui serait de la taille de la Terre!

La petite bottine avait ses douze yeux éblouis par l'éclat de cette blancheur. On aurait dit un cimetière d'étoiles qui s'entêtaient à briller encore et toujours, inlassablement.

Elle boitilla péniblement, s'enfonçant dans la neige jusqu'à sa dernière paire d'yeux. Ouf! La promenade n'était pas de tout repos: "Je vais sûrement attraper une bronchite avec ce froid!" dit-elle tout haut pour elle-même.

— Qu'est-ce que vous avez dit, hein? fit une voix derrière le rideau de neige.

La pauvre bottine tremblait de peur.

— Qui est là? demanda-t-elle d'une voix incertaine.

— Qu'est-ce que tu dis, hein? reprit l'étrange voix.

— Montre-toi! dit la petite bottine, croyant voir apparaître quelque monstre gigantesque. Je suis ici!

— Hein? fit la voix. Hein!?!

Alors la pauvre bottine vit surgir de la poudrerie une paire de cache-oreilles. Cette sorte de cache-oreilles muni de deux rondelles de fourrure reliées ensemble par un arc de métal.

Quelle ne fut pas sa surprise de voir cet étrange objet se diriger vers elle!

— Youhou! fit la bottine. Je suis là. Bonjour monsieur le cache-oreilles.

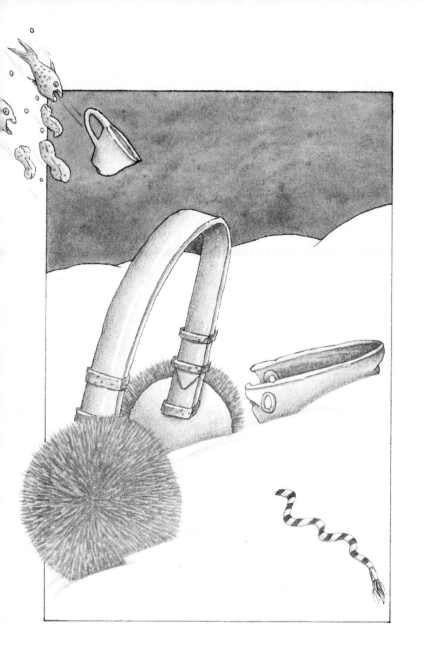

— Hein? dit le cache-oreilles. On m'a parlé? Je suis pourtant bien sûr d'être tout seul dans ce pays . . . Mais!?! Oh! que vois-je? De la visite? Que fais-tu donc dans ce trou perdu de l'hiver, petite bottine?

— Je cherche ma soeur jumelle. Tu ne l'aurais pas vue, par hasard? Une petite bottine comme moi, mais du pied gauche?

— Hein? fit le cache-oreilles. Une petite cuisine? Il n'y a pas de cuisine ici, non. Pas que je sache.

— Pas une cuisine! Une petite bottine comme moi, ma jumelle. JUMELLE!

— Une gamelle, hein? répondit le cache-oreilles. Pas plus de gamelle que de cuisine. Je me nourris de rêve. Oui, je rêve de retourner sur la Terre, mon pays natal. Mais toi, d'où viens-tu?

— De la Terre moi aussi, répondit la bottine.

— La mer? comprit le cache-oreilles. Tu es donc un habitant de la mer? Tu dois probablement connaître mon bon ami, le vieux capitaine Neptune?

— Non! fit la bottine en agitant sa semelle de gauche à droite, car c'était vraiment la seule façon de se faire comprendre de ce cache-oreilles qui était sourd comme un pot.

Puis elle lui remit le mouchoir que lui avait confié le foulard enrhumé.

— Ah?... Tu connais donc aussi mon excellent ami, le vieux foulard atchoumant? dit tout joyeux le cache-oreilles. Tu es une bien petite bottine pour habiter un aussi grand pays que la mer?

— Pas la mer! Je viens de la Terre. La TERRE!

— Me taire? fit le cache-oreilles. Vous n'êtes pas très polis, vous, habitants de la mer.

La pauvre bottine, voyant qu'il n'y avait rien à faire, se résigna et garda le silence.

— Hein? dit tout à coup le cache-oreilles. M'as-tu donné la réponse du mot de passe?

— Oui! fit la petite bottine du bout de sa semelle, trop contente de pouvoir s'en tirer aussi facilement, et sautant sur l'occasion.

— Ah bon! continua le cache-oreilles. Tu m'as bien dit, lorsque je t'ai demandé pourquoi aucun flocon de neige n'était pareil, que c'était parce que s'ils se ressemblaient tous, on ne pourrait pas les différencier quand vient le temps de les remiser au printemps, hein? Tu me l'as bien dit, n'est-ce pas?

— Oui, fit la petite bottine.

— C'est parfait, hein? reprit le cache-oreilles. Tu peux donc te considérer comme mon invitée.

La pauvre bottine, ne sachant pas comment elle pourrait bien lui raconter son histoire, tapait du pied nerveusement.

— Hein? fit soudain le cache-oreilles. Qu'as-tu dit? Mais non! Pas le moins du monde. Je suis juste un peu dur d'oreille, voilà tout. Mais où donc vas-tu d'un si bon pas, hein?

— Je cherche ma soeurette! hurla la pauvre bottine, tentant une dernière fois de se faire entendre par le sourd.

— Des cacahuètes? comprit le cache-oreilles. Sur la Terre, oui. Mais pas dans ces parages, oh non! Pas ici certainement.

La pauvre petite bottine se sentait encore plus démunie que dans les autres pays, en compagnie de ce cache-oreilles qui n'entendait rien à rien à ce qu'elle voulait de lui. Il semblait évident qu'il ne pourrait rien faire pour elle.

Pauvre petite bottine! Encore une fois la déception lui barrait la route, après un si long voyage. Reverrait-elle jamais la Terre? Et sa jumelle de petite bottine du pied gauche?

Elle poussa un profond soupir et essuya du bout de son lacet douze grosses larmes qui lui coulaient sur le cuir. Alors elle dit tout haut, comme pour elle-même: "Il ne me reste plus qu'à me tirer au fond de l'eau. Sniff!"

— Hein? fit le cache-oreilles en sursautant. Un vieux chapeau? Mais j'en connais un, moi, un vieux chapeau! Même qu'il habite à deux pas d'ici. Enfin, c'est une façon de parler. Il habite le pays voisin: le pays de la glace; c'est le dernier pays dans ce coin perdu, à ce que je sache. Il est arrivé tout de suite après moi, un mois exactement après que l'idée me fut venue d'aller finir mes vieux jours dans le Sud, au soleil.

"Je me suis embarqué clandestinement, sans que personne ne m'aperçoive, dans la soute à bagages d'un avion de touriste. Mais, comme je suis un peu dur d'oreille, j'ai dû mal entendre l'appel des passagers et je me suis retrouvé en route pour le Pôle Nord, en vol direct pour l'océan Arctique. À partir de là, je ne me souviens plus très bien. J'ai dû dégringoler avec une belle bordée de neige et hop! voilà que j'ai atterri ici, au pays de la neige éternelle."

Tout en écoutant le récit captivant du pauvre cache-oreilles, la petite bottine reprenait lentement espoir. Il y avait donc un autre pays un peu plus loin? Mais ce serait certainement sa dernière chance cette fois, puisque son hôte affirmait que c'était le dernier pays.

— Regarde, petite bottine, continua le cache-oreilles, tu n'auras qu'à remettre en main propre cet épi de ma fourrure à mon ami le chapeau. Il te recevra fort bien. Hein? Tu n'es pas d'accord?

— Oui, oui, oui! fit la bottine du bout de sa semelle.

— Bon! Très bien, reprit le cache-oreilles, visiblement heureux de cette décision. Pour t'y rendre, tu attendras la grande gelée de 4 h 20. Elle doit passer dans dix minutes. Ne la rate pas, hein?

— Bien sûr que non! répondit la bottine tout excitée.

— Du jambon? fit le cache-oreilles. Tu penses donc rien qu'à manger, pauvre petite bottine, hein? Tu n'as pas honte? Allez! Je te laisse. Adieu! Il faut que j'aille me nettoyer les oreilles.

La petite bottine aurait bien aimé lui dire qu'un jour elle reviendrait et le ramènerait sur la Terre. Mais déjà le cache-oreilles disparaissait derrière un gigantesque banc de neige. Et puis, de toute manière, il n'aurait rien compris. Alors?

Elle serra très fort dans son lacet l'épi de fourrure qu'il lui avait remis et elle attendit la grande gelée de 4 h 20 qui la mènerait au pays de la glace.

La grande gelée arriva en trombe, étincelante, tout illuminée, avec sa grande queue de particules gelées, scintillantes, qui traînait derrière.

La petite bottine attrapa de justesse un long glaçon et s'y agrippa.

— Pays de la glace! lança-t-elle, comme l'on fait dans un taxi.

Dix minutes plus tard, la petite bottine était déposée au pays de la glace, le dernier pays de cette étrange contrée.

— Pays de la glace! Terrrminus! Tout le monde descend!

CHAPITRE 9

AU PAYS DE LA GLACE

Le pays de la glace était un pays tout à fait extraordinaire. Imaginez des dentelles de glaçons partout qui pendaient en tous sens, accrochés à d'autres glaçons qui, eux, sont soudés à d'autres et à d'autres, ainsi de suite, à l'infini. Quelle immense beauté! Quel incroyable paysage magique! Rien que des scintillements de la glace, partout, de tous les côtés, en haut, en bas, derrière, devant, partout! Oh la la! C'était époustouflant.

La petite bottine, malgré le froid intense qui régnait en ce lieu, n'en revenait pas. Elle ne pouvait qu'admirer ces sculptures naturelles: de l'eau gelée qui avait décidé de devenir artiste.

"Mais comme nous sommes loin du soleil de cette bonne vieille Terre!" se disait la pauvre bottine, alors qu'elle allait clopin-clopant sur la patinoire lisse de ce pays. Il aurait bien fallu mille équipes de hockey pour pouvoir jouer une partie sur cet immense miroir de glace.

La pauvre petite bottine était impressionnée de se retrouver à la frontière de tous ces étranges pays. Elle se demandait ce qu'il pouvait bien y avoir au-delà, derrière. D'autres pays inconnus? D'autres êtres inimaginables qui vivaient dans ces régions inexplorées? D'autres pauvres petites bottines à la recherche de leur soeur jumelle?

À l'instant où elle songeait à toutes ces considérations, une voix douce et polie l'interpella:

— Bonjour, ma chère! Tu viens souvent par ici? Tu habites dans le coin?

La petite bottine se retourna brusquement. Un très beau chapeau de velours un peu usé, mais du plus haut chic, se tenait élégamment derrière elle.

— Bonjour, chapeau! lui dit-elle.

— Alors, comme ça, on se balade toute seule? demanda le chapeau.

— J'arrive tout juste du pays de la neige, commença la petite bottine, où j'ai rencontré ton ami le cache-oreilles.

— Toujours aussi dur d'oreille, ce cache-oreilles miteux? s'informa le chapeau.

— Il n'est pas miteux du tout! répondit la bot-

tine sur un ton choqué. Il m'a priée de te remettre ceci.

— Tiens! fit le chapeau. Un épi de fourrure. Mais ne t'offusque pas pour ce que j'ai dit tantôt. Je suis un plaisantin. Avant tout, il faut me donner le mot de passe.

— Je ne sais pas! Je ne connais rien aux mots de passe! Je fais une indigestion des mots de passe! défila tout d'un bout la petite bottine presque en colère.

— Eh bien, fit le chapeau, ne t'essouffle pas comme ça, petite bottine. Tu me ferais une crise du coeur, ma parole! Puisque tu le prends sur ce ton, je passerai outre. Disons que j'accepte ton amitié. Mais je vais tout de même te dévoiler le mot de passe, au cas où . . . On ne sait jamais ce qui peut servir dans la vie. Voilà: Sais-tu pourquoi, en hiver, les maisons se décorent de glaçons, hein?

— Euh! . . . non, dit en soupirant la pauvre bottine.

— Eh bien, c'est parce qu'elles veulent être coquettes, elles aussi, pour fêter la Noël, chapeau-mou!

— Oh! lala lala lala! fit la petite bottine, éberluée. Je n'y aurais jamais pensé. C'est amusant.

— N'est-ce pas? appuya le chapeau, gentilhomme. Mais dis-moi, tu n'es sûrement pas venue ici pour me parler de ce qui t'amuse, avec tes yeux tristes et ta mine chagrine?

La pauvre bottine raconta sa longue et malheureuse histoire pour une dernière fois. Du moins l'espérait-elle. Car s'il n'y avait plus d'autre pays derrière celui-ci, ce serait donc ce chapeau qui l'aiderait, ou alors elle reviendrait bredouille.

Le chapeau écouta attentivement le récit de la petite bottine, sautillant quelquefois sur place, acquiesçant du couvre-chef, se penchant lorsque la bottine insistait sur des passages plus tristes que d'autres.

— Et me voilà rendue au pays de la glace, dit-elle finalement. Tu es mon dernier espoir, cher chapeau.

— Ouais! fit le chapeau en tournant et retournant sur lui-même. L'intrigue me plaît. J'accepte donc l'affaire.

Il sortit une immense loupe et commença à examiner la petite bottine.

— Hum-hum! lançait-il de temps en temps. Ouais! Oh! Oh! Je m'en doutais. Ah!?!... Eh! Eh! Eh! Et ça? Mais oui! Voilà!

— Tu as trouvé? demanda la bottine, folle d'impatience.

— Non! répondit le chapeau. Mais je sais qu'il serait grand temps qu'on te "resemelle", ma chère.

— Tu n'es pas malin! lui lança la pauvre bottine, au bord des larmes. Je croyais que tu avais trouvé. Fausse joie! Tu me fais beaucoup de peine, vieux chapeau.

— Ne pleure pas, petite bottine, dit-il en s'excusant. Je suis maniaque des détails. J'ai ça dans le sang. Lorsque j'habitais la Terre, je coiffais le plus grand détective du monde: monsieur Jacquot Lombo, tu le connais? Non? Ah! ça ne fait rien. C'était un génie. Un véritable génie! Si tu l'avais vu résoudre n'importe quel problème en deux temps-trois mouvements . . . Quelle adresse! Quelle classe!

— Pourquoi l'as-tu quitté? demanda la bottine.

— Ce serait plutôt lui qui m'aurait quitté, déclara piteusement le chapeau. J'en savais trop, vois-tu? Car toujours j'étais posé sur sa tête, alors il y en avait là-dedans. Comme il craignait qu'un ennemi tente de m'enlever pour me faire parler, un jour, il me lança de sa fenêtre, si fort, que je vins atterrir ici, dans ce pays de la glace; car dans ma course, j'avais heurté un glaçon géant qui se fracassa et se referma sur moi aussitôt. Mais je n'ai rien oublié des trucs du métier. Voilà pourquoi ton problème m'intéresse.

— Tant mieux! dit la petite bottine. Je souhaite seulement que tu arrives à résoudre l'énigme.

— Laisse-moi réfléchir, ordonna le chapeau.

Il se mit à marcher en rond, son velours plissé révélant la profondeur de sa réflexion.

La petite bottine n'osait plus bouger. "Tout à coup, songeait-elle, tout à coup le chapeau découvrirait la clé du problème?"

Le chapeau se promena de long en large une heure durant avant de s'arrêter, subitement, et de déclarer:

— Ça y est! J'ai trouvé!

— Vraiment? demanda la bottine, folle de joie.

— Mais oui! Élémentaire, ma chère petite bottine. Nous disons donc que tu es à la recherche de ta soeur jumelle, disparue lors de ta prime enfance. Nous savons que tu as rencontré une vieille chaussette au pays des rayons de soleil, un vieux pantalon au pays du souffle du vent, une vieille chemise au pays de la pluie, un vieux chandail au pays du brouillard, un vieux gant au pays des nuages, un vieux foulard au pays des tempêtes, un vieux cache-oreilles au pays de la neige et un superbe chapeau, en l'occurrence, votre serviteur, au pays de la glace, n'est-ce pas?

— Oui, répondit la petite bottine, c'est exact.

— Bon! Examinons froidement ces éléments, reprit le vieux chapeau. De la vieille chaussette au beau chapeau il y a . . . il y a . . .

— Il y a quoi? dit la bottine, qui s'impatientait.

— Ne mettons pas la charrue devant les boeufs, dans l'assistance, je vous prie! s'exclama le chapeau. Nous savons donc qu'une vieille chaussette est faite pour habiller un pied, n'est-ce pas? Ainsi qu'un beau chapeau ne peut qu'habiller une tête, d'accord? Or, tu recherches une bottine. Où donc la retrouveras-tu cette bottine, hein? Où?

— Mais oui, où? dit la petite bottine, complètement absorbée par les déductions du chapeau détective.

— Élémentaire, ma chère, reprit-il. Simple comme bonjour! Tu retrouveras cette bottine, que tu espères être ta jumelle, au-delà de la vieille chaussette, c'est-à-dire, au-delà du pays des rayons de soleil, donc: Au pays des couchers de soleil! Quoi d'autre?

— Au pays des couchers de soleil? dit la petite bottine, abasourdie. Tu crois?

— J'en suis sûr! affirma le chapeau, qui n'était pas peu fier de lui. Sûr et certain, foi de chapeau!

— Eh bien, déclara la bottine, si j'aurais cru! Je n'y avais pas pensé. Tu es vraiment extraordinaire, monsieur le chapeau.

— Bof! il s'agit d'y penser. Il faut faire fonctionner ses méninges dans le bon sens, c'est tout!

— Mais comment retourner là-bas? s'inquiéta la petite bottine. Ce n'est pas la porte à côté.

— Élémentaire, ma chère! répondit le chapeau, sûr de lui. Élémentaire! Je t'y mènerai.

— Toi? dit la bottine, de plus en plus surprise.

— Mais oui, moi! répéta le chapeau. Qu'y a-t-il de si époustouflant là-dedans? Je t'y mènerai, moi, à ce pays des couchers de soleil, vrai comme je te le dis!

— Mais comment?

— Élémentaire, ma chère! Tu attacheras un bout de ton lacet à l'une de mes extrémités, bien solidement. Et puis, tu me donneras le plus formidable coup de pied que tu n'as sûrement jamais donné. Ne crains rien, je suis insensible à la douleur. C'est une question d'entraînement. Nous, de la police, tu sais, on s'entraîne beaucoup.

— Crois-tu vraiment que ce sera suffisant pour parcourir le long chemin qui nous sépare du pays des couchers de soleil? demanda la petite bottine, incrédule.

— Pour sûr! affirma le chapeau. Il suffit de quitter le pays de la glace. Le reste sera du petit beurre. Lorsqu'on est lancé dans quelque chose et qu'on y croit très, très fort, plus rien ne peut nous arrêter. Il ne peut pas y avoir d'erreur. Moi, les erreurs, ça me laisse froid. Depuis le temps que j'habite le pays de la glace, j'ai appris à savoir garder ma tête froide.

— Élémentaire! se prit à dire la petite bottine. Il s'agissait d'y penser.

Le chapeau se mit à danser une ronde.

— Je vais quitter ce pays! Je vais quitter ce pays! chantonnait-il gaiement.

La petite bottine était tout étonnée de voir ce vieux chapeau, si sérieux tout à l'heure, se laisser aller à danser comme un petit chapeau de fête.

— Penses-tu que je saurai donner le bon coup de

pied? demanda la bottine au chapeau qui avait terminé sa danse.

— Et pourquoi pas? Qui mieux qu'une bottine sait donner le bon coup de pied qu'il faut, hein?

— Élémentaire, mon cher chapeau! dit la petite bottine, débordante de joie.

Ils attachèrent un bout de lacet à une extrémité du chapeau, et la petite bottine, prenant son élan, mit toute son énergie dans un terrible et grandiose coup de pied qu'elle assena au chapeau.

PHUIiit!... Ils virevoltèrent dans le firmament du pays de la glace, puis se mirent à voler comme une fusée, le chapeau devant, la petite bottine à sa remorque.

Ils étaient drôles à voir, filant parmi les étoiles rieuses et les glaçons scintillants. Zzoup! Comme ils allaient vite!

Ils dépassèrent le pays de la neige, puis celui des tempêtes, et celui des nuages, et aussi ceux du brouillard, de la pluie, du souffle du vent et des rayons de soleil. Ouf! Quelle course! Pire que les montagnes russes du grand Cirque. Mais le pays des rayons de soleil, quel magnifique pays! C'est tout de même grâce à ce bon vieux soleil si le climat est propice à la vie sur la Terre.

Pourtant il fallait bien attendre qu'il ait envie de se coucher, ce soleil. Il faudrait bien qu'il fasse dodo un jour ou l'autre! Comme à chaque soir. Car le meilleur chemin pour le pays des couchers de soleil est tout à fait impossible à retrouver le matin ou l'après-midi.

La petite bottine et le vieux chapeau en profitèrent pour se reposer un peu, se couchant en bâillant juste sur un rayon de soleil moelleux.

Ils s'endormirent tout de suite tellement ils étaient fatigués de leur long voyage. Et surtout cette pauvre petite bottine, car elle en avait vu du pays depuis que le vagabond, dans le parc, l'avait projetée sur un rayon de lune, d'un bon coup de pied. Et pas des pays ordinaires! Sur la Terre, la température est équilibrée, heureusement! Car s'il fallait qu'il pleuve tout le temps ou qu'il neige sans arrêt, ou bien qu'il y ait toujours un épais brouillard, eh bien, ce ne serait pas drôle tous les jours. C'est tout de même merveilleux, cette harmonie de la Nature qui s'occupe de tout arranger pour que les humains puissent vivre sans se tracasser.

La petite bottine, dans son profond sommeil, rêvait qu'elle retrouvait sa soeur jumelle et qu'on organisait une joyeuse fête pour la circonstance. Elle souriait en dormant, tant cela la rendait heureuse.

Le vieux chapeau, lui, rêvait qu'il devenait un grand détective, sur la Terre, et qu'il était connu mondialement. Même qu'il se voyait en vedette à la télévision. Lui aussi il souriait en dormant. C'est amusant de faire de beaux rêves.

La journée se passa. Ni la bottine ni le chapeau ne s'éveillèrent.

La fin de l'après-midi les surprit et les amena, sans qu'ils s'en aperçoivent, vers le pays des couchers de soleil.

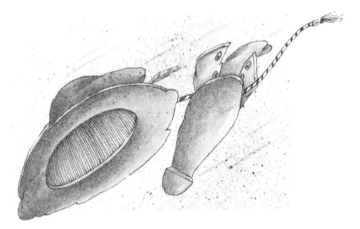

CHAPITRE 10

AU PAYS DES COUCHERS DE SOLEIL

Le jour tombait. Le soleil s'étirait paresseusement à l'horizon.

Ce fut le vieux chapeau qui se réveilla le premier. Il s'étira et bâilla à s'en fendre la margoulette. Puis il éveilla la petite bottine, et tous deux furent heureux de se retrouver au pays des couchers de soleil.

— Quel beau pays! s'exclama la petite bottine.

— Et comme c'est joli toutes ces couleurs! ajouta le chapeau.

C'était comme s'ils se tenaient au beau milieu de dizaines et de dizaines de couchers de soleil. Il y en avait partout. Et des couleurs qui emplissaient ce pays d'un bout à l'autre: des rouges vifs, des jaunes chaleureux et des jaunes or, des orangés pâles ou très foncés, des roses tendres, des bleus doux, des mauves et des violets de toutes nuances, des verts saisissants, des turquoises émouvants et des beiges doucereux. Un vrai tableau de peintre: "Un chef-d'oeuvre!" expliqua savamment le vieux chapeau.

La petite bottine ne savait plus où donner de ses douze yeux. C'était merveilleux partout.

— C'est superbe! déclara le chapeau, mais ça ne nous dit pas par où il faut commencer nos recherches. C'est si vaste!

— J'ai bien peur, ajouta la bottine, que nous ne mettions un très long temps avant de pouvoir explorer ce pays en entier.

— Justement! reprit le chapeau. Raison de plus pour commencer tout de suite. Allons-y!

Ils partirent courageusement à la recherche de la petite bottine du pied gauche, croyant mordicus que l'aventure touchait vraisemblablement à sa fin.

Ils marchèrent ainsi, l'une à cloche-pied, l'autre à cloche-tête, des heures et des heures, dans le surprenant pays des couchers de soleil.

La fatigue commençait à les terrasser lorsque, entre deux rouges tendres, ils crurent apercevoir une toute petite cabane.

Ils pressèrent le pas et atteignirent la drôle de

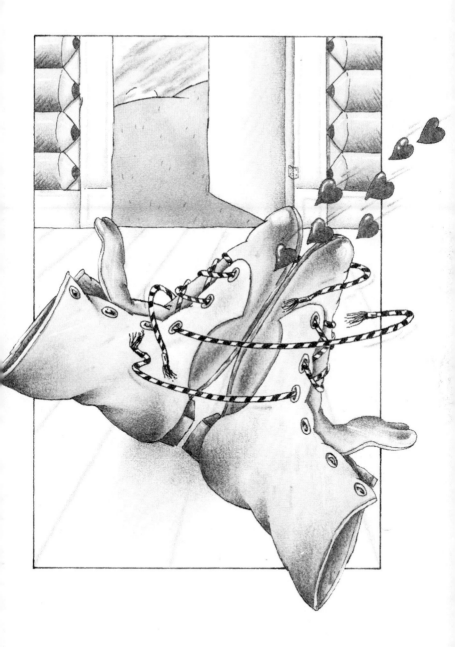

maisonnette en bois rond, qui était faite de crayons de couleur disposés les uns sur les autres. La petite bottine, ne pouvant retenir son impatience, ouvrit la porte sans avertir.

À l'intérieur, près d'un foyer où chauffait une soupe multicolore, se tenait une autre petite bottine identique à la première, mais celle-là du pied gauche.

Quelle ne fut pas la joie de la petite bottine du pied droit!

— Ma jumelle à moi! cria-t-elle dans son allégresse.

La petite bottine du pied gauche se retourna vivement et s'exclama: "Ma jumelle à moi! Enfin!"

Elles se jetèrent dans leurs cordons, s'enlaçant avec ardeur, se donnant des bécots à pleines semelles.

— Depuis si longtemps que je te cherche! dit la petite bottine du pied droit.

— Depuis si longtemps que je t'attends! ajouta la petite bottine du pied gauche.

Des larmes ruisselaient des douze paires d'yeux

éblouis. Leur langue n'arrêtait pas d'aller et venir: elles avaient tellement de choses à se dire.

— Comment es-tu arrivée jusqu'ici? demanda la bottine du pied droit.

— Tu te souviens de ce cordonnier qui nous avait égarées? dit la bottine du pied gauche. Un soir où il n'arrivait pas à dormir à cause d'un gros chat qui hurlait à la lune, il était tellement en colère qu'il m'attrapa et me projeta en direction du gros matou. Il m'a lancée si fort, avec tant de vigueur, que j'ai fait un long vol plané en direction du soleil qui finissait de se coucher au même instant. Je n'ai pas eu le temps de dire ouf! que déjà j'atterrissais ici même, à cet endroit. Mais toi? Qu'es-tu devenue depuis tout ce temps?

La petite bottine du pied droit raconta encore une fois sa longue et triste histoire. Mais cette fois, puisque ce serait la dernière, elle le fit avec joie.

Le vieux chapeau, qui attendait dehors, s'impatientait. Il toussa pour se faire remarquer.

— Oh! fit la bottine du pied droit, je ne t'ai pas présenté mon bon ami le vieux chapeau. Il vient du pays des glaces. C'est grâce à lui si je t'ai enfin retrouvée.

— Bonjour, monsieur le chapeau, dit poliment la

petite bottine du pied gauche. Je suis enchantée de te connaître. Comment te remercier de ce que tu as fait pour ma soeurette et pour moi?

— Tss! Tss! Tss! fit le chapeau, orgueilleux. Tu n'as pas à me remercier. C'est tout naturel, voyons! Ça m'a fait plaisir.

— Je suis tellement heureuse! dit, tout énervée, la petite bottine du pied droit. Je t'avoue que je commençais à désespérer. C'est merveilleux que le chapeau ait pu te retracer.

Et elles se mirent à placoter, comme seules deux bottines séparées depuis belle lurette peuvent le faire.

Elles parlèrent de retourner sur la Terre, de s'y refaire une vie. La petite bottine du pied droit désirait avant tout tenir sa promesse et permettre à tous ses amis des pays des rayons de soleil, du souffle du vent, de la pluie, du brouillard, des nuages, des tempêtes, de la neige et de la glace, de retourner eux aussi sur cette bonne vieille Terre.

— Depuis que je vis au pays des couchers de soleil, déclara la bottine du pied gauche, j'ai amassé pas mal de magie en jasant avec les couleurs et l'énergie du soleil. Je crois bien que nous n'aurons pas trop de difficultés à rejoindre tes amis et à les ramener avec nous sur la Terre. Tout ce qu'il me manquait, vois-tu, c'est d'être épaulée par des amis. Toute seule, je ne me sentais pas le courage de rien tenter. Mais maintenant, tout s'arrange!

— Comme je suis contente! fit la petite bottine du pied droit. Et je suis certaine que mon ami, l'allumeur de la pleine lune, nous aidera lui aussi.

Ils décidèrent donc de se rendre au pays des rayons de la pleine lune et d'y faire venir tous les autres vêtements amis. De là, ils redescendraient ensemble dans leur pays natal: le Québec.

La petite bottine du pied gauche fit ses adieux au pays des couchers de soleil, respira un bon coup d'énergie et joua avec la magie des couleurs.

Gnnooonnn! Ils volèrent dans l'espace comme des avions à réaction, grâce à la magie de la petite bottine du pied gauche et à l'extraordinaire force du soleil.

Sur un rayon de la pleine lune, ils rencontrèrent l'allumeur magicien, qui fut tout heureux de revoir la petite bottine du pied droit, saine et sauve, et surtout en compagnie de sa soeur jumelle.

— Je t'avais bien dit qu'il ne faut jamais perdre espoir! affirma-t-il en lui souhaitant la bienvenue.

Il félicita le vieux chapeau qui, lui, en rougit de

plaisir. Ce qui créa un drôle de lever de lune, ce soir-là, car elle se leva couleur d'orange.

Alors ils se concentrèrent tous et pensèrent très, très fort à tous leurs amis des autres pays.

— Ensemble, nous réussirons! avait déclaré l'allumeur lunaire.

Et ils réussirent! Ce qui prouve encore que quatre têtes valent mieux qu'une.

Cela ne prit pas une minute que tous, la vieille chaussette, le vieux pantalon, la vieille chemise, le vieux chandail, le vieux gant, le vieux foulard et le vieux cache-oreilles apparurent comme par enchantement sur le sol doré du pays des rayons de la pleine lune:

— Dong-a-dong! fit la vieille chaussette, abasourdie.

— Zzzip! fit le vieux pantalon, éberlué.

— Bouti-bouton! fit la vieille chemise, étonnée.

— Tricoco! fit le vieux chandail, ahuri.

— Doigt-de-lune! fit le vieux gant, époustouflé.

— Atchoum! fit le vieux foulard, ébouriffé.

— Hein !? ! fit le vieux cache-oreilles, stupéfait.

— Élémentaire! conclut le vieux chapeau, très fier de lui.

— Bienvenue au pays des rayons de la pleine lune! lança gentiment l'allumeur magicien.

La petite bottine du pied droit raconta la fin de son aventure. Comment le vieux chapeau avait démêlé l'intrigue et comment ils étaient parvenus à retrouver la petite bottine du pied gauche. Elle termina en expliquant de quelle façon ils étaient arrivés au pays des rayons de la pleine lune et de quelle façon aussi ils avaient réussi à y faire venir tous les autres.

Quel beau groupe de vêtements heureux faisaient-ils tous ces exilés! Enfin, ils retourneraient sur la Terre; ils n'en croyaient pas leurs oreilles. Sauf, évidemment, le vieux cache-oreilles, qui était insulté parce qu'on lui disait de se taire . . .

— Te reste-t-il assez d'énergie et de magie pour nous ramener tous sur la Terre? demanda la petite bottine du pied droit s'adressant à sa jumelle retrouvée.

—Bien sûr que oui! répondit la petite bottine du pied gauche. Depuis le temps que je fais des économies!

La Terre, près de quatre fois plus grosse que la lune, luisait toute ronde dans l'espace, derrière la frontière du pays des rayons de la pleine lune.

"Un beau clair de Terre!" songeait l'allumeur magicien.

— Qu'attendons-nous pour partir? demanda le vieux chapeau.

— Eh bien, fit la bottine du pied gauche, pour ma part, je suis prête.

— Moi aussi! crièrent en choeur les membres du petit groupe sur le plus beau rayon de la pleine lune.

— Alors, allons-y! décida le vieux chapeau. Je meurs d'impatience.

— Il ne me reste qu'à vous dire adieu, commença l'allumeur. Et bonne chance! Soyez tous heureux et croyez très fort en la vie. N'essayez pas d'être autre chose que ce que vous êtes. Il est plus important d'être un bon soi-même qu'une mauvaise imitation. Souvenez-vous-en. Adieu, mes amis!

— Adieu et merci encore! lui dit, toute remuée, la petite bottine du pied droit.

Ils se tassèrent tous les uns contre les autres et se

laissèrent emporter par la magie de la petite bottine du pied gauche.

Le voyage ne dura que quelques minutes. Ils atterrirent enfin sur cette bonne vieille Terre, fous de joie, émus jusqu'au fond de l'âme, en glissant doucement sur un rayon de pleine lune.

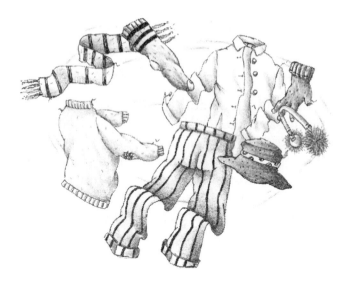

CHAPITRE 11

LE RETOUR SUR LA TERRE

Lorsqu'ils mirent pied à terre, juste avant que la lune ne disparaisse à l'horizon, le jour se levait à l'est.

Un chaleureux soleil brillait fièrement dans le ciel bleu. Des oiseaux chantaient en dansant sur les arbres. Un clair ruisseau murmurait la chanson de l'eau, tandis qu'un petit colibri, ce charmant oiseau-mouche, voletait autour d'un bouquet de fleurs séchées.

Ils s'étaient posés dans le même parc, justement celui d'où la bottine du pied droit était partie, un certain soir, pour son grand voyage.

Elle reconnaissait bien l'allée et le parterre à fleurs que l'automne fanait déjà, les bancs de bois et les promeneurs qui flânaient.

Nos amis passèrent le reste de la journée à admirer les magnifiques paysages de cette bonne vieille Terre. Ces tendres paysages que les humains oublient parfois de regarder. Il faut en avoir été privés pour les apprécier autant.

Le doux vert de la forêt, coloré par la venue proche de l'hiver, les courbes des montagnes, le charme des lacs au repos, les ondulations de l'herbe dorée caressée par une légère brise du sud-ouest. Tout cela était grandiose. Et ce bon air qu'on y respirait, ni trop froid, ni trop chaud; ce bon air et ces nuages moutonnés qui filaient dans l'azur.

La nuit déjà commençait à recouvrir le parc. Nos amis avaient le coeur gonflé de soupirs, les yeux remplis de splendeurs, la tête pleine de chansons.

Des étoiles perçaient la voûte céleste. La grosse pleine lune se leva à l'extrémité sud du parc. L'allumeur magicien saluait à sa façon le retour des vêtements prodigues.

Un vagabond passa. Celui-là même qui, d'un solide coup de pied, avait projeté la petite bottine du pied droit sur un rayon de lune. C'était quand même grâce à lui si elle avait pu retrouver sa soeurette et rencontrer ses nouveaux amis.

Le vagabond avait l'air très malheureux. La nuit profonde ramenait le froid de cet automne, présage d'un rude hiver.

"Pauvre homme!" songea la petite bottine du pied droit.

Elle regarda le vagabond qui s'installait sur un banc pour y dormir, n'ayant pour toute couverture que de vieux journaux pleins de trous.

Une idée lui vint alors. Une idée fraîchement surgie du fin fond de son coeur. Elle en parla à ses amis qui, tous, sans exception, trouvèrent l'idée excellente. Ce serait un peu leur manière à eux de remercier le destin.

Ils attendirent que le vagabond se fût endormi et, aussitôt qu'il se mit à ronfler, ils s'approchèrent de lui et l'habillèrent au grand complet, des pieds à la tête.

Ils étaient heureux, car ils avaient retrouvé le sens de leur existence.

La chaussette du pays des rayons de soleil lui apporterait la chaleur; le pantalon du pays du souffle du vent lui redonnerait les jambes de ses vingt ans; la chemise du pays de la pluie, la santé; le chandail du pays du brouillard, l'élégance; le gant du pays des nuages lui apprendrait l'accordéon; le foulard du pays des tempêtes le protégerait des intempéries; le cache-oreilles du pays de la neige lui procurerait la tranquillité de l'esprit et le chapeau du pays de la glace lui accorderait l'intelligence, la sagesse et l'imagination.

La nuit passa, sous le regard bienveillant de la pleine lune.

Lorsque le vagabond au matin s'éveilla, il était faramineusement émerveillé. Il n'en revenait pas! Il ne chercha pas à comprendre d'où lui venait ce précieux cadeau. Enfin! il serait bien au chaud dans ces vêtements et il pourrait peut-être trouver du travail, aussi correctement vêtu.

Il pourrait manger plein son ventre après avoir bien travaillé. Quel bonheur! Il ne craignait plus l'hiver dorénavant.

Sa vie prenait un nouveau tournant tout ensoleillé; toujours et rien que du soleil tout au fond de son coeur.

Il se leva et partit en sifflotant une chanson de Félix Leclerc qui parlait de crapaud chantant la liberté . . .

Les vêtements étaient joyeux sur leur nouveau propriétaire. Lui, il saurait sûrement en prendre soin et les apprécier à leur juste valeur.

Les petites bottines ne boitillaient plus maintenant. Elles avaient retrouvé l'équilibre de la paire.

Ce matin-là, le soleil se leva avec un certain sourire sur sa grosse face lumineuse!

TABLE DES MATIÈRES

ACHEVÉ   D'IMPRIMER
EN   AOÛT   1983
SUR LES PRESSES DE
PAYETTE & SIMMS INC.
À SAINT-LAMBERT, P.Q.